BANDEIRA DE BOLSO

UMA ANTOLOGIA POÉTICA

MANUEL BANDEIRA

BANDEIRA DE BOLSO

UMA ANTOLOGIA POÉTICA

Organização e apresentação de MARA JARDIM

www.lpm.com.br

L&PM POCKET

Coleção **L&PM** POCKET, vol. 675

Primeira edição na Coleção **L&PM** POCKET: março de 2008
Esta reimpressão: abril de 2010

Organização e apresentação: Mara Jardim
Capa: Ivan Pinheiro Machado sobre foto de José Medeiros/Acervo Instituto Moreira Salles
Revisão: Elisângela Rosa dos Santos e Lia Cremonese

CIP-Brasil. Catalogação-na-Fonte
Sindicato Nacional dos Editores de livros, RJ

B166b Bandeira, Manuel, 1886-1968
Bandeira de bolso: uma antologia poética / Manuel Bandeira; organização e apresentação de Mara Jardim. – Porto Alegre, RS: L&PM, 2010.
176p. – (L&PM POCKET; v.675)

ISBN 978-85-254-1739-8

1. Poesia brasileira. I. Jardim, Mara Ferreira. II. Título. III. Série.

08-0316. CDD: 869.91
CDU: 821.134.3(81)-1

Rua Comendador Coruja 314, loja 9 – Floresta – 90220-180
Porto Alegre – RS – Brasil / Fone: 51.3225.5777

Pedidos & Depto. comercial: vendas@lpm.com.br
Fale conosco: info@lpm.com.br
www.lpm.com.br

Impresso no Brasil
Outono de 2010

SUMÁRIO

APRESENTAÇÃO

Mara Jardim*

O POETA

Criou-me desde eu menino,
Para arquiteto meu pai.
Foi-se-me um dia a saúde...
Fiz-me arquiteto? Não pude!
Sou poeta menor, perdoai!

Conhecer a vida de Bandeira é fácil: o próprio poeta encarrega-se, ao longo da existência, de registrar os fatos mais relevantes de sua biografia, que aparecem em vários poemas, como "Testamento", citado acima, mas que se encontram, principalmente, na cronologia minuciosa que ele organizou, em 1966, para a primeira edição de *Estrela da Vida Inteira* e em *Itinerário de Pasárgada*, verdadeiro inventário de sua poesia.

Manuel Bandeira, conforme ele mesmo conta, nasceu em 1886, em Recife. Aos quatro anos, muda-se com os pais para o Rio de Janeiro. Por algum tempo a família perambula entre essa cidade, Santos, São Paulo e Petrópolis. Em 1892, os Bandeira retornam a Recife, onde permanecem por mais quatro anos. Esse curto período na cidade natal marca de

* Mara Jardim é doutora em Literatura Brasileira pela Universidade Federal do Rio Grande do Sul, com a tese *Manuel Bandeira: 'Tão Brasil'*, e professora de literatura nas Faculdades Porto-Alegrenses.

forma definitiva a infância do poeta e é depositário das suas lembranças mais vivas. Ali, na Rua da União, na casa de seu avô, transitam personagens reais que povoarão seus poemas: Tomásia, Totônio Rodrigues, Rosa, Dona Aninha Viegas.

Em 1896, a família volta ao Rio de Janeiro, e Bandeira passa a freqüentar as aulas do Ginásio Nacional (que mais tarde se chamaria Colégio Pedro II). Datam dessa época os primeiros contatos do futuro poeta com a literatura, especialmente com os clássicos portugueses. Nascem também os primeiros versos, publicados no *Correio da Manhã*. Por influência paterna, Bandeira decide estudar arquitetura e, para melhor se preparar, matricula-se na Escola Politécnica, em São Paulo. Mas em 1904, aos 18 anos de idade, sobrevém a tragédia: ao final do ano letivo é atacado pela tuberculose, doença para a qual ainda não havia sido descoberta a cura, e abandona os estudos.

Tem início, a partir daí, uma longa luta pela sobrevivência, que inclui a busca de melhores climas. Em 1913, embarca para a Suíça, a fim de tratar-se no sanatório de Clavadel. Lá convive com o jovem Paul Eugène Grindel, que mais tarde se tornaria conhecido mundialmente como poeta sob o nome de Paul Éluard. Para fazer passar o tempo, Bandeira lê escritores franceses, volta a estudar alemão e escreve um livro de poemas. Com a eclosão da Primeira Guerra Mundial, em 1914, retorna ao Brasil, deixando para trás o manuscrito desse livro, nunca mais recuperado.

A estada na Suíça não produz melhoras no seu estado de saúde. Praticamente desenganado pelos médicos de Clavadel, Bandeira passa a viver na expectativa da morte, experiência que conta de forma bem-humorada no antológico poema "Pneumotórax", publicado em *Libertinagem* (1930):

> O senhor tem uma escavação no pulmão esquerdo e o
> [pulmão direito infiltrado.
> – Então, doutor, não é possível tentar o pneumotórax?
> – Não. A única coisa a fazer é tocar um tango argentino.

A morte que se apresenta, porém, não é a sua: no espaço de poucos anos, perde a mãe, a irmã (sua fiel enfermeira), o pai e, mais tarde, o irmão. Todas essas mortes, ele as transforma em poemas ("Elegia para minha mãe", "A dama branca" e "O anjo da guarda").

Sem família, sem saúde e sem dinheiro, resta ao poeta, tomado de melancolia, esperar a "indesejada das gentes". Contudo, supreendentemente, ela recusa-se a vir, e Bandeira, livre da tuberculose, ganha uma nova chance de viver que não será desperdiçada. O poeta já havia, então, publicado dois livros: *A Cinza das Horas* (1917) e *Carnaval* (1919). Se não o tornaram famoso, seus poemas tinham ao menos rendido alguns elogios entusiasmados da crítica. *Carnaval*, especialmente, cai no gosto da geração paulista que se inicia no Modernismo. Em 1921, o poeta conhece Mário de Andrade, tendo início uma duradoura amizade. Dela resulta caudalosa correspondência em que os dois escritores discutem suas produções. No período que se estende de 1920 a 1930, seu círculo de amigos expande-se, incorporando nomes como o de Jaime Ovalle, Menotti Del Picchia, Paulo Prado e Sérgio Buarque de Holanda. Embora Bandeira se recuse a participar da Semana de Arte Moderna, a leitura de seu poema "Os sapos", feita por Ronald de Carvalho no segundo dia do evento, agita o auditório do teatro.

Mesmo sem aderir efetivamente ao movimento modernista, Manuel Bandeira é "adotado" pelos jovens escritores do grupo paulista. Reconhecendo a primazia do colega nas novas estéticas, Mário de Andrade confere-lhe o "título" de "São João Batista do Modernismo". Em 1924, mais um livro seu é publicado, *Poesias*, que traz, além dos já conhecidos *A Cinza das Horas* e *Carnaval*, mais um conjunto de poemas, reunidos sob o título *O Ritmo Dissoluto*.

Desde a morte do pai, em 1920, o poeta passara a residir na Rua do Curvelo, onde permanece por 13 anos e onde compõe grande parte de sua obra. Segundo ele, o morro do Curvelo deu-lhe o "elemento de humilde quotidiano", tão presente em seus versos. Ali se fortalece a amizade com o escritor Ribeiro Couto, também morador do Curvelo, e Bandeira amadurece como poeta. Ribeiro Couto diz que o morro "trouxe ao poeta aquilo que a leitura dos grandes livros da humanidade não pode substituir: a rua"[1].

Para sobreviver, Bandeira escreve artigos para o jornal *A Noite* e críticas literárias para a revista *A Idéia Ilustrada*. Trabalha, ainda, como fiscal de bancas examinadoras de preparatórios. Entre 1928 e 1930, escreve crônicas semanais para o *Diário Nacional*, de São Paulo. Por fim, em 1930, publica *Libertinagem*, obra que vai colocá-lo definitivamente entre os mais importantes poetas do modernismo brasileiro. A edição constou de apenas 500 exemplares e foi custeada pelo próprio escritor.

Em 1933, o poeta passa a residir na Lapa, local que vai inspirar novos versos. Três anos mais tarde, no seu cinqüentenário, recebe, como ele mesmo declara, calorosas homenagens de seus amigos. Entre elas, a publicação de um livro que conta com a participação de 33 dos nossos mais importantes escritores modernos, que apresentam estudos e comentários sobre sua obra, bem como impressões sobre Bandeira. Na esteira das comemorações é feita, com papel presenteado por um amigo, a impressão de 47 exemplares de *Estrela da Manhã*, apenas para subscritores, e a Civilização Brasileira publica o livro *Crônicas da Província do Brasil*, coletânea de textos escritos para jornais de Recife, Rio de Janeiro e São Paulo.

Em 1937, Bandeira recebe um prêmio de cinco contos de réis da Sociedade Felipe d'Oliveira. Ele declara ser essa a primeira vez que tem lucro material com a poesia. "Aos 51 anos, nunca eu vira até aquela data tanto dinheiro em

1. BANDEIRA, Manuel. *Itinerário de Pasárgada*. São Paulo: Record, 1984. p. 65.

minha mão", diz ele em sua cronologia. No ano seguinte, é nomeado professor de Literatura do Colégio Pedro II, função que exerce por cinco anos e que lhe assegura razoável estabilidade financeira. Em 1940, é eleito para a Academia Brasileira de Letras e publica *Poesias Completas*. Nesse livro estão suas obras anteriores e uma parte com novos poemas, que ele denomina *Lira dos Cinqüent'Anos*.

Em 1943, Bandeira assume o cargo de professor de literatura hispano-americana na Faculdade Nacional de Filosofia, hoje Instituto de Filosofia e Ciências Sociais da Universidade Federal do Rio de Janeiro. Um ano depois, muda mais uma vez de residência, passando a morar em um apartamento na Avenida Beira-Mar. Em sua cronologia, o poeta faz questão de mencionar essas trocas de endereço, talvez porque, como indica em vários poemas, a vida que vislumbra através das janelas de seus apartamentos torne-se sempre motivo de poesia.

Os anos seguintes são de intensa produção crítica e literária. Entre suas publicações, destacam-se novos livros de poemas: *Belo Belo*, *Mafuá do Malungo* e *Opus 10*. Em 1954, vem ao prelo *Itinerário de Pasárgada*, obra em prosa em que faz o inventário decisivo de sua arte. Nesse livro, Bandeira fala a respeito de como se tornou poeta. Fala também da infância, da doença, da família, dos amigos, da sua timidez, da importância da música em sua obra. *Itinerário de Pasárgada* é sobretudo uma lição de poesia e de vida, escrita em linguagem simples e despojada, leitura imprescindível para quem quer conhecer melhor o autor.

Em 1958, já com 72 anos, Bandeira publica *Estrela da Tarde*, que seria seu último livro de poemas. Em 1966, em comemoração aos 80 anos do poeta, sua obra poética é reunida em um único livro, sob o título *Estrela da Vida Inteira*. Os últimos anos de sua vida são dedicados a traduções de clássicos universais, crônicas e estudos literários. No final, ainda que rodeado de amigos e do respeito de seus críticos e leitores, Bandeira permanece o homem solitário que sempre foi. Mas não era um homem amargo, mal-humorado. Tinha sempre um sorriso simpático e, apesar da miopia e do fato de ser "dentuço", adorava ser fotografado, reconhecido, musicado, traduzido. Apesar de ser um homem apaixonado por mulheres, nunca se casou, nem teve filhos. Talvez esse tenha sido o tributo pago à sua doença e à sua timidez. Ele dizia, simplesmente, que "perdeu a vez".

Em 1968, aos 82 anos, Manuel Bandeira falece no Hospital Samaritano, no Rio de Janeiro, e é sepultado no mausoléu da Academia Brasileira de Letras, no Cemitério São João Batista. A morte, que o poeta esperava desde os 18 anos, chegou de forma tranqüila, confirmando as palavras com que ele encerra seu *Itinerário*: "Agora a morte pode vir – essa morte que espero desde os 18 anos: tenho a impressão de que ela encontrará, como em 'Consoada' está dito, 'a casa limpa, a mesa posta, com cada coisa em seu lugar'".

Os poemas

Nesta antologia, buscamos reunir os poemas mais populares e os mais significativos da obra de Bandeira. Ao organizá-la, optamos por apresentá-los na ordem em que aparecem em *Estrela da Vida Inteira*, obra que reúne as publicações poéticas do autor. Como os livros aparecerão na ordem cronológica em que foram publicados, o leitor poderá observar a evolução estética da poesia bandeiriana e as diferentes fases percorridas pelo poeta ao longo de sua carreira literária.

Manuel Bandeira iniciou sua carreira sob a influência das leituras dos poetas clássicos portugueses e da poesia parnasiana de Bilac, cujos versos decorava ainda adolescente. Nessa época, o poeta tinha outros planos de vida que não incluíam a literatura. No entanto, com os pulmões comprometidos pela tuberculose – doença que na época apresentava alto grau de mortalidade – e impedido de viver uma existência normal, acaba escrevendo, como diz em *Itinerário de Pasárgada*, para "iludir o meu sentimento de vazia inutilidade"[2]. É natural, portanto, que seus primeiros poemas, compostos sob forte influência das estéticas parnasiana e simbolista, em voga no início do século XX, transmitam o sentimento de angústia e os queixumes de um doente desenganado. "Eu faço versos como quem morre", diz ele em "Desencanto", poema publicado em *A Cinza das Horas* (1917), seu livro de estréia. Essa profunda melancolia, presente nas primeiras experiências estéticas de Bandeira, faz com que a crítica identifique na sua produção a influência da poética do crepuscularismo. Os seguidores dessa tendência, impregnados de uma atmosfera psicológica sombria, situam-se entre o "crepúsculo" do Simbolismo e o início do Modernismo. A verdade é que em *A Cinza das Horas* o poeta já insere composições que apontam para o que seria uma das características marcantes de sua lírica. Características estas que, somadas ao uso do verso livre, o tornariam precursor do nosso Modernismo: o uso de uma linguagem mais coloquial e a presença da ironia, através da qual zomba das vicissitudes de sua vida de tísico. Também já apresenta os três grandes motivos que o inspiram e perpassam a sua produção lírica: a infância, o amor e a morte. Em *Carnaval*, segundo livro de Bandeira, publicado em 1919, predomina ainda o tom simbolista dos primeiros poemas, e o poeta continua mergulhado em seu sofrimento pessoal. Entretanto, ao lado de versos escritos à moda tradicional, aparecem outros que revelam novas experiências estéticas, mais definidamente modernas, como a intensificação da linguagem coloquial-irônica e, principalmente, o uso do verso livre. Aliás, referindo-se ao verso livre, Bandeira confessa que foi difícil dominá-lo, habituado que estava ao sentimento da

2. BANDEIRA, *op. cit.* p. 131.

medida. Outra preocupação que já perpassa a produção do poeta a essa época é a de inserir na sua lírica o português do Brasil, o nosso jeito peculiar de falar, distanciando-se, assim, daqueles que só fazem "macaquear a sintaxe lusíada".

Embora poemas como "Debussy" e "Sonho de uma terça-feira gorda" já sejam compostos em versos livres, é com "Os sapos" que Bandeira cai definitivamente no gosto dos modernistas, em especial dos organizadores da Semana de Arte Moderna, entre os quais estão Oswald e Mário de Andrade. Lido no palco do Teatro Municipal de São Paulo, que em fevereiro de 1922 abrigou o evento, o poema foi recebido com vaias e apupos pela maioria do público presente, e a celeuma gerada em torno dele fez com que se tornasse uma espécie de "hino nacional dos modernistas".

Sobre "Os sapos", Bandeira declara, em *Itinerário de Pasárgada*, que o poema não se destinava a atacar os parnasianos, muito menos a Olavo Bilac, de quem já se confessara admirador, mas que era dirigido contra certos ridículos do pós-parnasianismo. A crítica se faz através da gritaria dos sapos, apresentados como defensores de um gênero de arte impessoal, em que só contam as exterioridades formais, conforme declara o sapo tanoeiro, um "parnasiano aguado":

> Vai por cinqüenta anos
> Que lhes dei a norma:
> Reduzi sem danos
> A formas a forma.

A nova proposta estética fica representada no poema pela presença do sapo cururu, verdadeiro *alter-ego* do poeta, que em sua solidão, no *perau profundo*, preferindo o soluço ao grito, advoga uma arte pessoal e sofrida, que não pode estar sujeita às restrições de escola alguma.

O próximo livro de Bandeira, *O Ritmo Dissoluto*, aparece em 1924, numa publicação que, sob o título de *Poesias*, reúne também a segunda edição de *A Cinza das Horas* e *Carnaval*. Dos 24 poemas do livro, muitos são contemporâneos ou mesmo anteriores aos publicados em *Carnaval*, o que explica suas diferenças de tom e de técnica, alguns ainda presos à fase anterior e outros ostensivamente depositários de uma nova forma que será consagrada em *Libertinagem*, de 1930. Por isso mesmo, *O Ritmo Dissoluto* é apontado pela crítica e pelo próprio Bandeira como uma obra de transição. Em *Itinerário de Pasárgada*, o poeta diz em que consiste essa transição:

> A mim me parece bastante evidente que *O Ritmo Dissoluto* é um livro de transição entre dois momentos da minha poesia. Transição para quê? Para a afirmação poética dentro da qual cheguei, tanto no verso livre como nos versos metrificados e rimados, isso do ponto de vista da forma; e na expressão das minhas idéias e dos meus sentimentos, do ponto de vista do fundo, à completa liberdade de movimentos, liberdade de que cheguei a abusar no livro seguinte, a que por isso mesmo chamei *Libertinagem*.[3]

O Ritmo Dissoluto prepara os leitores para a explosão de *Libertinagem*, que traz poemas compostos entre 1924 e 1930. A crítica e o próprio autor consideram que *Libertinagem* é, entre todos os seus livros, aquele que mais se insere na estética modernista. Nessa obra, Bandeira eleva ao máximo a técnica do verso livre, o uso do coloquialismo, a mistura dos diferentes falares brasileiros, do mais erudito ao mais popular. Abandonando o subjetivismo exacerbado dos trabalhos anteriores, o poeta volta-se para o mundo ao seu redor, para as paisagens que vislumbra da janela de sua casa, para a vida que palpita do lado de fora de sua

3. BANDEIRA, *op. cit.* p. 75.

porta. Até então ele vivera à espera da morte e, durante essa espera, vira morrer todos aqueles a quem amava e que o amparavam na sua doença: mãe, irmã, pai e irmão. Sem a proteção familiar, é forçado a olhar para fora de si. A mudança reflete-se inevitavelmente em seu trabalho. Os poemas de *Libertinagem* apresentam o tom vibrante da música que entra pela janela do seu quarto à Rua do Curvelo. O poeta canta as casas, as ruas, a cidade, o povo, e, indiretamente, abraça a busca da nacionalidade, que é um dos carros-chefe dos modernistas: o que é ser brasileiro, o que nos caracteriza como povo? Para Bandeira, o Brasil pode ser a casa de seu avô, como expressa no final de um de seus poemas mais conhecidos, "Evocação do Recife". O Brasil também está no baile de carnaval, mostrado em "Não sei dançar". Está sobretudo no seu povo, na preta Irene, na pequena cunhantã, nas gentes que povoam seus escritos, trazendo diferentes falares, costumes, crenças, lendas e superstições. Em *Libertinagem*, a poesia é desentranhada das coisas mais cotidianas, do cacto derrubado pelo temporal, do porquinho-da-índia, da festa de São João, do camelô que vende seus produtos nas calçadas da cidade, do gatinho que faz pipi nos canteiros da pensão familiar. Dois poemas publicados em *Libertinagem* merecem menção especial: "Poética", que se tornará o manifesto modernista que Bandeira não escreveu, e "Vou-me embora pra Pasárgada", de longe o poema mais divulgado do poeta e um dos mais emblemáticos da literatura brasileira.

"Poética" é o grito definitivo de libertação estética do autor: "Estou farto do lirismo comedido"; "Abaixo os puristas", exclama ele. Em "Vou-me embora pra Pasárgada", a exclamação inicial, que repete o título do poema, transcende o próprio texto e passa a ter vida própria na poesia brasileira. Abandonando o verso livre, Bandeira escreve o poema usando a redondilha maior[4] e fazendo uso de rimas. A gênese de "Pasárgada" é bastante conhecida e suficientemente abordada pela crítica, já que o próprio autor encarregou-se de descrevê-la. O nome Pasárgada, cidade fundada por Ciro, rei dos persas, ele o encontrou na adolescência, na leitura de algum autor grego cujo nome esqueceu. A inspiração surgiu em momento de desalento e tédio, diante da "aguda sensação" de tudo o que na vida lhe tinha sido proibido por motivo da doença: "Gosto desse poema", diz Bandeira, "porque vejo nele, em escorço, toda a minha vida"[5]. Temos, portanto, em "Pasárgada" um poema que é, ao mesmo tempo, particular e universal, que fala do anseio de evasão do poeta e do eterno desejo de evasão do ser humano, da volta ao paraíso perdido, a uma idade de ouro, em que tudo lhe é dado e permitido.

Os livros publicados depois de *Libertinagem* são o reflexo da plena maturidade do poeta. Neles o escritor prossegue nas diretrizes estéticas já consolidadas. Tendo ultrapassado os 50 anos, Bandeira permite-se uma nova liberdade, que inclui, como observa Sérgio Milliet "o direito de voltar ao soneto e ao verso metrificado e rimado, sem preconceitos modernistas, mas tampouco sem o abandono de suas conquistas anteriores"[6].

Em *Estrela da Manhã* (1936) aparecem alguns textos em que o poeta envereda pela poesia social, tema que renderá, mais tarde, o contundente poema "O bicho" (de *Belo Belo*, 1948). É o caso da prosa lírica "Tragédia brasileira" e de "Trucidaram o rio", poema que já remete a questões ecológicas, tão em voga hoje.

---

4. Redondilha é o nome dado ao verso que não excede sete sílabas. Denomina-se *redondilha menor* quando tem cinco sílabas e *redondilha maior* quando tem seis ou sete sílabas.
5. BANDEIRA, *op.cit*,. p. 98.
6. MILLIET, Sérgio. *Belo Belo*. In: BRAYNER, Sônia. (Org.). *Manuel Bandeira*. Rio de Janeiro/ Brasília: Civilização Brasileira/INL, 1980. p. 207.

Belo Belo (1948), *Opus 10* (1952) e *Estrela da Tarde* (1960) encerram a produção poética de Manuel Bandeira. Nessas obras, a ironia, tão aguda em trabalhos anteriores, torna-se mais suave e reflexiva. A morte, tema recorrente na obra do poeta, aparece com mais constância. Com a tranqüilidade de quem já não depende da crítica, permite-se assumir em *Belo Belo* o lado romântico, latente ao longo de sua produção e agora declarado no poema estrategicamente intitulado "Sextilhas românticas":

Sou romântico? Concedo.
Exibo, sem evasiva,
A alma ruim que Deus me deu.
Decorei "Amor e medo",
"No lar", "Meus oito anos"... Viva
José Casimiro de Abreu!

Sou assim por vício inato.
Ainda hoje gosto de *Diva*,
Nem não posso renegar
Peri, tão pouco índio, é fato,
Mas tão brasileiro... Viva,
Viva José de Alencar!

A idade avançada não impede que, em *Estrela da Tarde*, seu último livro, Bandeira se lance em aventuras estéticas, experimentando alguns versos concretistas que, embora pareçam deslocados e menores dentro da grande obra do poeta, mostram que ele permanece aberto e sem preconceitos ao que é novo. A morte continua, porém, sendo o tema mais freqüente, e a ela o poeta dedica a parte final do livro, reunindo, sob o título "Preparação para a morte", os poemas que o encerram.

Por fim, *Mafuá do Malungo*, publicado em Barcelona, em 1948, é um livro que reúne os denominados "poemas de circunstância", extraídos do mais prosaico cotidiano de Bandeira, e apresenta uma miscelânea de composições datadas de diferentes épocas (o poema mais antigo é de 1912). Muitos dos poemas desse livro provêm de dedicatórias feitas para parentes e conhecidos, celebrando sua admiração e amizade por eles, o que justifica o título da obra, já que, como o poeta aponta em *Itinerário de Pasárgada*, "mafuá" é o nome dado a feiras populares de divertimentos e "malungo", palavra de origem africana, significa "companheiro, camarada".

Podemos dizer que, no cenário modernista, Manuel Bandeira permanece como uma voz singular. Ele não é apenas um dos poetas que iniciaram o movimento, mas seu verdadeiro fundador. Estudiosos não hesitam em apontar "Sonho de um terça-feira gorda", publicado em *Carnaval* (1919), como um dos nossos primeiros (se não o primeiro) poemas modernistas. Além disso, o poeta disputa com Mário de Andrade e Carlos Drummond de Andrade, junto à crítica, a liderança dos rumos do movimento. Qual dos três foi mais importante? A pergunta fica em aberto, na dependência das paixões de seus admiradores e defensores. Mas a primazia de Bandeira é reconhecida por seus contemporâneos e pela crítica posterior.

Todavia, o entusiasmo do poeta pela nova estética, que abraça desde a publicação de *O Ritmo Dissoluto*, não é incondicional. Ele nunca renuncia completamente às formas clássicas e aos ritmos regulares que, volta e meia, reaparecem em sua obra. A tuberculose marca sua vida e provavelmente agrava a melancolia que talvez já se fizesse sentir no menino sensível e observador que ele parece ter sido. Podemos reconhecer em suas composições poéticas a sensação de perda jamais superada, que vai além do luto provocado pelas mortes na família. A melancolia chega para ele em razão da perda de sua Pasárgada, de um lugar paradisíaco, representado pela casa do avô em Recife; de uma idade de ouro que existiu no tempo da infância. Entretanto, a tristeza observada na lírica de Bandeira não leva à destruição do ego ou à satisfação provocada pela exposição da própria dor. A ironia salva o poeta. Bandeira encara a vida com um ar filosófico, cético e divertido. O que se vê na sua poesia é a "melancolia da dualidade", provocada por dois estados que podem ser apontados como antes e depois da infância, ou antes e depois da doença, e que explica o exercício constante de retorno ao passado, época vista como sendo a da única felicidade possível.

A obra literária de Manuel Bandeira é, enfim, marcada pela busca da simplicidade, da beleza e da paixão que fazem de um poema uma obra de arte, como ele bem expressa no texto que encerra seu livro maior, *Libertinagem*:

O ÚLTIMO POEMA

Assim eu quereria o meu último poema
Que fosse terno dizendo as coisas mais simples e menos
[intencionais
Que fosse ardente como um soluço sem lágrimas
Que tivesse a beleza das flores quase sem perfume
A pureza da chama em que se consomem os diamantes
[mais límpidos
A paixão dos suicidas que se matam sem explicação.

A CINZA DAS HORAS

Epígrafe

Sou bem-nascido. Menino,
Fui, como os demais, feliz.
Depois, veio o mau destino
E fez de mim o que quis.

Veio o mau gênio da vida,
Rompeu em meu coração,
Levou tudo de vencida,
Rugiu como um furacão,

Turbou, partiu, abateu,
Queimou sem razão nem dó –
Ah, que dor!
Magoado e só,
– Só! – meu coração ardeu:

Ardeu em gritos dementes
Na sua paixão sombria...
E dessas horas ardentes
Ficou esta cinza fria.

– Esta pouca cinza fria...

1917

Desencanto

Eu faço versos como quem chora
De desalento... de desencanto...
Fecha o meu livro, se por agora
Não tens motivo nenhum de pranto.

Meu verso é sangue. Volúpia ardente...
Tristeza esparsa... remorso vão...
Dói-me nas veias. Amargo e quente,
Cai, gota a gota, do coração.

E nestes versos de angústia rouca
Assim dos lábios a vida corre,
Deixando um acre sabor na boca.

– Eu faço versos como quem morre.

Teresópolis, 1912

Ruço

Muda e sem trégua
Galopa a névoa, galopa a névoa.

Minha janela desmantelada
Dá para o vale do desalento.

Sombrio vale! Não vejo nada
Senão a névoa que toca o vento.

Lá vão os dias de minha infância
– Imagens rotas que se desmancham:

O vento do largo na praia,
O meu vestidinho de saia,

Aquele corvo, o vôo torvo,
O meu destino aquele corvo!

O que eu cuidava do mundo mau!
Os ladrões com cara de pau!

As histórias que faziam sonhar;
E os livros: *Simplício olha pra o ar,*

João Felpudo, Viagem à roda do mundo
Numa casquinha de noz.

A nossa infância, ó minha irmã, tão longe de nós!

Chama e fumo

Amor – chama, e, depois, fumaça...
Medita no que vais fazer:
O fumo vem, a chama passa...

Gozo cruel, ventura escassa,
Dono do meu e do teu ser,
Amor – chama, e, depois, fumaça...

Tanto ele queima! e, por desgraça,
Queimado o que melhor houver,
O fumo vem, a chama passa...

Paixão puríssima ou devassa,
Triste ou feliz, pena ou prazer,
Amor – chama, e, depois, fumaça...

A cada par que a aurora enlaça,
Como é pungente o entardecer!
O fumo vem, a chama passa...

Antes, todo ele é gosto e graça.
Amor, fogueira linda a arder!
Amor – chama, e, depois, fumaça...

Porquanto, mal se satisfaça
(Como te poderei dizer?...),
O fumo vem, a chama passa...

A chama queima. O fumo embaça.
Tão triste que é! Mas... tem de ser...
Amor?... – chama, e, depois, fumaça:
O fumo vem, a chama passa...

Teresópolis, 1911

Cartas de meu avô

A tarde cai, por demais
Erma, úmida e silente...
A chuva, em gotas glaciais,
Chora monotonamente.

E enquanto anoitece, vou
Lendo, sossegado e só,
As cartas que meu avô
Escrevia a minha avó.

Enternecido sorrio
Do fervor desses carinhos:
É que os conheci velhinhos,
Quando o fogo era já frio.

Cartas de antes do noivado...
Cartas de amor que começa,
Inquieto, maravilhado,
E sem saber o que peça.

Temendo a cada momento
Ofendê-la, desgostá-la,
Quer ler em seu pensamento
E balbucia, não fala...

A mão pálida tremia
Contando o seu grande bem.
Mas, como o dele, batia
Dela o coração também.

A paixão, medrosa dantes,
Cresceu, dominou-o todo.
E as confissões hesitantes
Mudaram logo de modo.

Depois o espinho do ciúme...
A dor... a visão da morte...
Mas, calmado o vento, o lume
Brilhou, mais puro e mais forte.

E eu bendigo, envergonhado,
esse amor, avô do meu...
Do meu – fruto sem cuidado
Que inda verde apodreceu.

O meu semblante está enxuto.
Mas a alma, em gotas mansas,
Chora, abismada no luto
Das minhas desesperanças...

E a noite vem, por demais
Erma, úmida e silente...
A chuva em pingos glaciais,
Cai melancolicamente.

E enquanto anoitece, vou
lendo, sossegado e só,
As cartas que meu avô
Escrevia a minha avó.

Imagem

És como um lírio alvo e franzino,
Nascido ao pôr do sol, à beira d'água,
Numa paisagem erma onde cantava um sino
A de nascer inconsolável mágoa...

A vida é amarga. O amor, um pobre gozo...
Hás de amar e sofrer incompreendido,
Triste lírio franzino, inquieto, ansioso,
Frágil e dolorido...

O inútil luar

É noite. A Lua, ardente e terna,
Verte na solidão sombria
A sua imensa, a sua eterna
    Melancolia...

Dormem as sombras na alameda
Ao longo do ermo Piabanha.
E dele um ruído vem de seda
    Que se amarfanha...

No largo, sob os jambolanos,
procuro a sombra embalsamada.
(Noite, consolo dos humanos!
    Sombra sagrada!)

Um velho senta-se a meu lado.
Medita. Há no seu rosto uma ânsia...
Talvez se lembre aqui, coitado!
    De sua infância.

Ei-lo que saca de um papel...
Dobra-o direito, ajusta as pontas,
E pensativo, a olhar o anel,
    Faz umas contas...

Com outro moço que se cala.
Fala um de compleição raquítica.
Presto atenção ao que ele fala:
    – É de política.

Adiante uma senhora magra,
Em ampla charpa que a modela,
Lembra uma estátua de Tanagra.
    E, junto dela,

Outra a entretém, a conversar:
– "Mamãe não avisou se vinha.
Se ela vier, mando matar
    Uma galinha."

E embalde a Lua, ardente e terna,
Verte na solidão sombria
A sua imensa, a sua eterna
    Melancolia...

Solau do desamado

Donzela, deixa tua aia,
Tem pena de meu penar.
Já das assomadas raia
O clarão dilucular,
E o meu olhar se desmaia
Transido de te buscar.
Sai desse ninho de alfaia,
– Céu puro de teu sonhar,
Veste o quimão de cambraia,
Mostra-te ao fulgor lunar.
Da que uma só vez descaia
Do ermo balcão do solar
Como uma ardente azagaia
O teu fuzilante olhar.

Donzela, deixa tua aia,
Tem pena de meu penar...

Sou mancebo de alta laia:
Não trabalho e sei justar.
Relincham em minha baia
Hacanéias de invejar.
Tenho lacaio e lacaia.
Como um boi ao meu jantar!
Castelã donosa e gaia,
Acode ao meu suspirar
Antes que a luz se me esvaia...
Tem pena de meu penar.

Vou-me ao golfo de Biscaia
Como um bastardo afogar.
Minh'alma blasfema e guaia,
Minh'alma que vais danar,
Dona Olaia, dona Olaia!

– Meu alaúde de faia,
Soluça mais devagar...

Poemeto erótico

Teu corpo claro e perfeito,
– Teu corpo de maravilha,
Quero possuí-lo no leito
Estreito da redondilha...

Teu corpo é tudo o que cheira...
Rosa... flor de laranjeira...

Teu corpo, branco e macio,
É como um véu de noivado...

Teu corpo é pomo doirado...

Rosal queimado de estio,
Desfalecido em perfume...

Teu corpo é a brasa do lume...

Teu corpo é chama e flameja
Como à tarde os horizontes...

É puro como nas fontes
A água clara que serpeja,
Que em cantigas se derrama...

Volúpia de água e da chama...

A todo o momento o vejo...
Teu corpo... a única ilha
No oceano do meu desejo...

Teu corpo é tudo o que brilha,
Teu corpo é tudo o que cheira...
Rosa, flor de laranjeira...

A minha irmã

Depois que a dor, depois que a desventura
Caiu sobre o meu peito angustiado,
Sempre te vi, solícita, a meu lado,
Cheia de amor e cheia de ternura.

É que em teu coração ainda perdura,
Entre doces lembranças conservado,
Aquele afeto simples e sagrado
De nossa infância, ó meiga criatura.

Por isso aqui minh'alma te abençoa:
Tu foste a voz compadecida e boa
Que no meu desalento me susteve.

Por isso eu te amo, e, na miséria minha,
Suplico aos céus que a mão de Deus te leve
E te faça feliz, minha irmãzinha...

Clavadel, 1913

Elegia para minha mãe

Nesta quebrada de montanha, donde o mar
Parece manso como em recôncavo de angra,
Tudo o que há de infantil dentro em minh'alma sangra
Na dor de te ter visto, ó Mãe, agonizar!

Entregue à sugestão evocadora do ermo,
Em pranto rememoro o teu lento martírio
Até quando exalaste, à ardente luz de um círio,
A alma que se transia atada ao corpo enfermo.

Relembro o rosto magro, onde a morte deixou
Uma expressão como que atônita de espanto.
(Que imagem de tão grave e prestigioso encanto
Em teus olhos já meio inânimes passou?)

Revejo os teus pequenos pés... A mão franzina...
Tão musical... A fronte baixa... A boca exangue...
A duas gerações passara já teu sangue,
– Eras avó –, e morta eras uma menina.

No silêncio daquela noite funeral
Ouço a voz de meu pai chamando por teu nome.
Mas não posso pensar em ti sem que me tome
Todo a recordação medonha de teu mal!

Tu, cujo coração era cheio de medos
– Temias os trovões, o telegrama, o escuro –,
Ah, pobrezinha! um fim terrível, o mais duro,
É que te sufocou com implacáveis dedos.

Agora se me despedaça o coração
A cada pormenor, e o revivo cem vezes,
E choro neste instante o pranto de três meses
(Durante os quais sorri para tua ilusão!),

Enquanto que a buscar as solitárias ânsias,
As mágoas sem consolo, as vontades quebradas,
Voa, diluindo-se no longe das distâncias,
A prece vesperal em fundas badaladas!

Oceano

Olho a praia. A treva é densa.
Ulula o mar, que não vejo,
Naquela voz sem consolo,
Naquela tristeza imensa
Que há na voz do meu desejo.

E nesse tom sem consolo
Ouço a voz do meu destino:
Má sina que desconheço,
Vem vindo desde eu menino,
Cresce quanto em anos cresço.

– Voz de oceano que não vejo
Da praia do meu desejo...

Enquanto morrem as rosas...

Morre a tarde. Erra no ar a divina fragrância.
Fora, a mortiça luz do crepúsculo arde.
Nas árvores, no oceano e no azul da distância
            Morre a tarde...

Morrem as rosas. Minhas pálpebras se molham
No pranto das desesperanças dolorosas.
Sobre a mesa, pétala a pétala, se esfolham,
            Morrem as rosas...

Morre o teu sonho?... Neste instante o pensamento
Acabrunha o meu ser como um pesar medonho.
Ah, por que temo assim? Dize: neste momento
            Morre o teu sonho?...

Boda espiritual

Tu não estás comigo em momentos escassos:
No pensamento meu, amor, tu vives nua
– Toda nua, pudica e bela, nos meus braços.

O teu ombro no meu, ávido, se insinua.
Pende a tua cabeça. Eu amacio-a... Afago-a...
Ah, como a minha mão treme... Como ela é tua...

Põe no teu rosto o gozo uma expressão de mágoa.
O teu corpo crispado alucina. De escorço
O vejo estremecer como uma sombra n'água.

Gemes quase a chorar. Suplicas com esforço.
E para amortecer teu ardente desejo
Estendo longamente a mão pelo teu dorso...

Tua boca sem voz implora em um arquejo.
Eu te estreito cada vez mais, e espio absorto
A maravilha astral dessa nudez sem pejo...

E te amo como se ama um passarinho morto.

O anel de vidro

Aquele pequenino anel que tu me deste,
– Ai de mim – era vidro e logo se quebrou...
Assim também o eterno amor que prometeste,
– Eterno! era bem pouco e cedo se acabou.

Frágil penhor que foi do amor que me tiveste,
Símbolo da afeição que o tempo aniquilou –
Aquele pequenino anel que tu me deste,
– Ai de mim – era vidro e logo se quebrou ...

Não me turbou, porém, o despeito que investe
Gritando maldições contra aquilo que amou.
De ti conservo na alma a saudade celeste...
Como também guardei o pó que me ficou
Daquele pequenino anel que tu me deste...

Desesperança

Esta manhã tem a tristeza de um crepúsculo.
Como dói um pesar em cada pensamento!
Ah, que penosa lassidão em cada músculo...

O silêncio é tão largo, é tão longo, é tão lento
Que dá medo... O ar, parado, incomoda, angustia...
Dir-se-ia que anda no ar um mau pressentimento.

Assim deverá ser a natureza um dia,
Quando a vida acabar e, astro apagado, a Terra
Rodar sobre si mesma estéril e vazia.

O demônio sutil das nevroses enterra
A sua agulha de aço em meu crânio doído.
Ouço a morte chamar-me e esse apelo me aterra...

Minha respiração se faz como um gemido.
Já não entendo a vida, e se mais a aprofundo,
Mais a descompreendo e não lhe acho sentido.

Por onde alongue o meu olhar de moribundo,
Tudo a meus olhos toma um doloroso aspeto:
E erro assim repelido e estrangeiro no mundo.

Vejo nele a feição fria de um desafeto.
Temo a monotonia e apreendo a mudança.
Sinto que a minha vida é sem fim, sem objeto...

– Ah, como dói viver quando falta a esperança!

Teresópolis, 1912

Renúncia

Chora de manso e no íntimo... Procura
Curtir sem queixa o mal que te crucia:
O mundo é sem piedade e até riria
Da tua inconsolável amargura.

Só a dor enobrece e é grande e é pura.
Aprende a amá-la que a amarás um dia.
Então ela será tua alegria,
E será, ela só, tua ventura...

A vida é vã como a sombra que passa...
Sofre sereno e de alma sobranceira,
Sem um grito sequer, tua desgraça.

Encerra em ti tua tristeza inteira.
E pede humildemente a Deus que a faça
Tua doce e constante companheira...

Teresópolis, 1906

CARNAVAL

Bacanal

Quero beber! cantar asneiras
No esto brutal das bebedeiras
Que tudo emborca e faz em caco...
Evoé Baco!

Lá se me parte alma levada
No torvelim da mascarada,
A gargalhar em doudo assomo...
Evoé Momo!

Lacem-na toda, multicores,
As serpentinas dos amores,
Cobras de lívidos venenos...
Evoé Vênus!

Se perguntarem: Que mais queres,
Além de versos e mulheres?...
– Vinhos!... o vinho que é o meu fraco!...
Evoé Baco!

O alfanje rútilo da lua,
Por degolar a nuca nua
Que me alucina e que eu não domo!...
Evoé Momo!

A Lira etérea, a grande Lira!...
Por que eu extático desfira
Em seu louvor versos obscenos,
Evoé Vênus!

1918

Os sapos

Enfunando os papos,
Saem da penumbra,
Aos pulos, os sapos.
A luz os deslumbra.

Em ronco que aterra,
Berra o sapo-boi:
– "Meu pai foi à guerra!"
– "Não foi!" – "Foi!" – "Não foi!".

O sapo-tanoeiro,
Parnasiano aguado,
Diz: – "Meu cancioneiro
É bem martelado.

Vede como primo
Em comer os hiatos!
Que arte! E nunca rimo
Os termos cognatos.

O meu verso é bom
Frumento sem joio.
Faço rimas com
Consoantes de apoio.

Vai por cinqüenta anos
Que lhes dei a norma:
Reduzi sem danos
A formas a forma.

Clame a saparia
Em críticas céticas:
Não há mais poesia
mas há artes poéticas..."

Urra o sapo-boi:
– "Meu pai foi rei" – "Foi!"
– "Não foi!" – "Foi!" – "Não foi!".

Brada em um assomo
O sapo-tanoeiro:
– "A grande arte é como
Lavor de joalheiro.

Ou bem de estatuário.
Tudo quanto é belo,
Tudo quanto é vário,
Canta no martelo."

Outros, sapos-pipas
(Um mal em si cabe),
Falam pelas tripas:
– "Sei!" – "Não sabe!" – "Sabe!".

Longe dessa grita,
Lá onde mais densa
A noite infinita
Verte a sombra imensa;

Lá, fugido ao mundo,
Sem glória, sem fé,
No perau profundo
E solitário, é

Que soluças tu,
Transido de frio,
Sapo-cururu
Da beira do rio...

1918

Vulgívaga

Não posso crer que se conceba
Do amor senão o gozo físico!
O meu amante morreu bêbado,
E meu marido morreu tísico!

Não sei entre que astutos dedos
Deixei a rosa da inocência.
Antes da minha pubescência
Sabia todos os segredos...

Fui de um... Fui de outro... Este era médico...
Um, poeta... Outro, nem sei mais!
Tive em meu leito enciclopédico
Todas as artes liberais.

Aos velhos dou o meu engulho.
Aos férvidos, o que os esfrie.
A artista, a *coquetterie*
Que inspira... E aos tímidos – o orgulho.

Estes, caçôo-os e depeno-os:
A canga fez-se para o boi...
Meu claro ventre nunca foi
De sonhadores e de ingênuos!

E todavia se o primeiro
Que encontro, fere toda a lira,
Amanso. Tudo se me tira.
Dou tudo. E mesmo... dou dinheiro...

Se bate, então como o estremeço!
Oh, a volúpia da pancada!
Dar-me entre lágrimas, quebrada
Do seu colérico arremesso...

E o cio atroz se me não leva
A valhacoutos de canalhas,
É porque temo pela treva
O fio fino das navalhas...

Não posso crer que se conceba
Do amor senão o gozo físico!
O meu amante morreu bêbado,
E meu marido morreu tísico!

A fina, a doce ferida...

A fina, a doce ferida
Que foi a dor do meu gozo
Deixou quebranto amoroso
Na cicatriz dolorida.

Pois que ardor pecaminoso
Ateou a esta alma perdida

A fina, a doce ferida
Que foi a dor do meu gozo!

Como uma adaga partida
Punge o golpe voluptuoso...
Que no peito sem repouso
Me arderá por toda a vida
A fina, a doce ferida...

Arlequinada

Que idade tens, Colombina?
Será a idade que pareces?...
Tivesses a que tivesses!
Tu para mim és menina.

Que exíguo o teu talhe! E penso:
Cambraia pouca precisa:
Pode ser toda num lenço
Cortada a tua camisa...

Teus seios têm treze anos.
Dão os dois uma mancheia...
E essa inocência incendeia,
Faz cinza de desenganos...

O teu pequenino queixo
– Símbolo do teu capricho –
É dele que mais me queixo,
Que por ele assim me espicho!

Tua cabeleira rara
Também ela é de criança:

Dará uma escassa trança,
Onde eu mal me estrangulara!

E que dizei do franzino,
Do breve pé de menina?...
Seria o mais pequenino
No jogo da pampolina...

Infantil é o teu sorriso.
A cabeça, essa é de vento:
Não sabe o que é pensamento
E jamais terá juízo...

Crês tu que os recém-nascidos
São achados entre as couves?...
Mas vejo que os teus ouvidos
Ardem... Finges que não ouves...

Perdão, perdão, Colombina!
Perdão, que me deu na telha
Cantar em medida velha
Teus encantos de menina...

Juiz de Fora, 1918

Debussy

Para cá, para lá...
Para cá, para lá...
Um novelozinho de linha...
Para cá, para lá...
Para cá, para lá...

Oscila no ar pela mão de uma criança
(Vem e vai...)
Que delicadamente e quase a adormecer o balança
– Psiu... –
Para cá, para lá...
Para cá e...
– O novelozinho caiu.

Pierrette

O relento hiperestesia
O ritmo tardo de meu sangue.
Sinto correr-me a espinha langue
Um calefrio de histeria...

Gemem ondinas nos repuxos
Das fontes. Faunos aparecem.
E salamandras desfalecem
Nas sarças, nos braços dos bruxos.

Corro à floresta: entre miríades
De vaga-lumes, junto aos troncos,
Gênios caprípedes e broncos
Estupram virgens hamadríades.

Ergo olhos súplices: e vejo,
Ante as minhas pupilas tontas,
No sete-estrelo as sete pontas
De sete espadas de desejo.

O sexo obsidente alucina
A minha índole surpresa:
As imagens da natureza
São um delírio de morfina.

A minha carne complicada
Espreita, em voluptuoso ardil,
Alguém que tenha a alma sutil,
Decadente, degenerada!

E a lua verte como uma âmbula
O filtro erótico que assombra...
Vem, meu Pierrot, ó minha sombra
Cocainômana e noctâmbula!...

O descante de Arlequim

A lua ainda não nasceu.
A escuridão propícia aos furtos,
Propícia aos furtos, como o meu,
De amores frívolos e curtos,

Estende o manto alcoviteiro
À cuja sombra, se quiseres,
A mais ardente das mulheres
Terá o seu único parceiro.

Ei-lo. Sem glória e sem vintém,
Amando os vinhos e os baralhos,
Eu, nesta veste de retalhos,
Sou tudo quanto te convém.

Não se me dá do teu recato.
Antes, polido pelo vício,
Sou fácil, acomodatício,
Agora beijo, agora bato,

Que importa? Ao menos o teu ser
Ao meu anélito corruto
Esquecerá por um minuto
O pesadelo de viver.

E eu, vagabundo sem idade,
Contra a moral e contra os códigos,
Dar-te-ei entre os meus braços pródigos
Um momento de eternidade...

A Dama Branca

A Dama Branca que eu encontrei,
Faz tantos anos,
Na minha vida sem lei nem rei,
Sorriu-me em todos os desenganos.

Era sorriso de compaixão?
Era sorriso de zombaria?
Não era mofa nem dó. Senão,
Só nas tristezas me sorriria.

E a Dama Branca sorriu também
A cada júbilo interior.
Sorria como querendo bem.
E todavia não era amor.

Era desejo? – Credo! De tísicos?
Por histeria... quem sabe lá?...
A Dama tinha caprichos físicos:
Era uma estranha vulgívaga.

Era... era o gênio da corrupção.
Tábua de vícios adulterinos.
Tivera amantes: uma porção.
Até mulheres. Até meninos.

Ao pobre amante que lhe queria,
Se lhe furtava sarcástica.
Com uns perjura, com outros fria,
Com outros má,

– A Dama Branca que eu encontrei,
Há tantos anos,
Na minha vida sem lei nem rei,
Sorriu-me em todos os desenganos.

Essa constância de anos a fio,
Sutil, captara-me. E imaginai!
Por uma noite de muito frio
A Dama Branca levou meu pai.

Menipo

Menipo, o zombeteiro, o Cínico vadio,
Ia fazer, enfim, a última viagem.
Mas ia sem temor, calmo, atento à paisagem
Que se desenrolava à beiro do atro rio.

E chasqueava a sorrir sobre o Estige sombrio.
Nem cuidara em trazer o óbulo da passagem!
Em face de Caronte, a pavorosa imagem
Do barqueiro da Morte olhava em desafio.

Outros erguiam no ar suplicemente as palmas.
Ele, avesso ao terror daquelas pobres almas,
Antes afigurava um deus sereno e forte.

Em seu lábio cansado um sorriso luzia.
E era o sorriso eterno e sutil da ironia
Que triunfara da vida e triunfava da morte.

1907

Alumbramento

Eu vi os céus! Eu vi os céus!
Oh, essa angélica brancura
Sem tristes pejos e sem véus!

Nem uma nuvem de amargura
Vem a alma desassossegar.
E sinto-a bela... e sinto-a pura...

Eu vi nevar! Eu vi nevar!
Oh, cristalizações da bruma
A amortalhar, a cintilar!

Eu vi o mar! Lírios de espuma
Vinham desabrochar à flor
Da água que o vento desapruma...

Eu vi a estrela do pastor...
Vi a licorne alvinitente!...
Vi... vi o rastro do Senhor!...

E vi a Via-Láctea ardente...
Vi comunhões... capelas... véus...
Súbito... alucinadamente...

Vi carros triunfais... troféus...
Pérolas grandes como a lua...
Eu vi os céus! Eu vi os céus!

– Eu vi-a nua... toda nua!

Clavadel, 1913

Sonho de uma terça-feira gorda

Eu estava contigo. Os nossos dominós eram negros, e
[negras eram as nossas máscaras.

Íamos, por entre a turba, com solenidade,
Bem conscientes do nosso ar lúgubre
Tão contrastado pelo sentimento de felicidade
Que nos penetrava. Um lento, suave júbilo
Que nos penetrava... Que nos penetrava como uma
[espada de fogo...
Como a espada de fogo que apunhalava as santas
[extáticas!

E a impressão em meu sonho era que se estávamos
Assim de negro, assim por fora inteiramente de negro,
– Dentro de nós, ao contrário, era tudo claro e
[luminoso.

Era terça-feira gorda. A multidão inumerável
Burburinhava. Entre clangores de fanfarra
Passavam, préstitos apoteóticos.
Eram alegorias ingênuas ao gosto popular, em cores
[cruas.

Iam em cima, empoleiradas, mulheres de má vida,
De peitos enormes – Vênus para caixeiros.
Figuravam deusas – deusa disto, deusa daquilo, já tontas
[e seminuas.
A turba, ávida de promiscuidade,
Acotovelava-se com algazarra,
Aclamava-as com alarido.
E, aqui e ali, virgens atiravam-lhes flores.

Nós caminhávamos de mãos dadas, com solenidade,
O ar lúgubre, negros, negros...
Mas dentro em nós era tudo claro e luminoso.
Nem a alegria estava ali, fora de nós.
A alegria estava em nós.
Era dentro de nós que estava a alegria,
– A profunda, a silenciosa alegria...

Poema de uma quarta-feira de cinzas

Entre a turba grosseira e fútil
Um Pierrot doloroso passa.
Veste-o uma túnica inconsútil
Feita de sonho e de desgraça...

O seu delírio manso agrupa
Atrás dele os maus e os basbaques.
Este o indigita, este outro o apupa...
Indiferente a tais ataques,

Nublada a vista em pranto inútil,
Dolorosamente ele passa.
Veste-o uma túnica inconsútil,
Feita de sonho e de desgraça...

Epílogo

Eu quis um dia, como Schumann, compor
Um carnaval todo subjetivo:
Um carnaval em que o só motivo
fosse o meu próprio ser interior...

Quando o acabei – a diferença que havia!
O de Schumann é um poema cheio de amor,
E de frescura, e de mocidade...
E o meu tinha a morta morta-cor
Da senilidade e da amargura...
– O meu carnaval sem nenhuma alegria!...

1919

O RITMO DISSOLUTO

Felicidade

A doce tarde morre. E tão mansa
Ela esmorece,
Tão lentamente no céu de prece,
Que assim parece, toda repouso,
Como um suspiro de extinto gozo
De uma profunda, longa esperança
Que, enfim cumprida, morre, descansa...

E enquanto a mansa tarde agoniza,
Por entre a névoa fria do mar
Toda a minh'alma foge na brisa:
Tenho vontade de me matar!

Oh, ter vontade de se matar...
Bem sei é cousa que não se diz.
Que mais a vida me pode dar?
Sou tão feliz!

– Vem, noite mansa...

Murmúrio d'água

Murmúrio d'água, és tão suave a meus ouvidos...
Faz tanto bem à minha dor teu refrigério!
Nem sei passar sem teu murmúrio a meus ouvidos,
Sem teu suave, teu afável refrigério.

Água de fonte... água de oceano... água de pranto...
Água de rio...
Água de chuva, água cantante das levadas...
Têm para mim, todas, consolos de acalanto,
A que sorrio...

A que sorri a minha cínica descrença.
A que sorri o meu opróbrio de viver.
A que sorri o mais profundo desencanto
Do mais profundo e mais recôndito em meu ser!
Sorriem como aqueles cegos de nascença
Aos quais Jesus de súbito fazia ver...

A minha mãe ouvi dizer que era minh'ama
Tranqüila e mansa.
Talvez ouvi, quando criança,
Cantigas tristes que cantou à minha cama.
Talvez por isso eu me comova a aquela mágoa.
Talvez por isso eu me comova tanto à mágoa.
Do teu rumor, murmúrio d'água...

A meiga e triste rapariga
Punha talvez nessa cantiga
A sua dor e mais a dor de sua raça...
Pobre mulher, sombria filha da desgraça!

– Murmúrio d'água, és a cantiga de minh'ama.

Mar bravo

Mar que ouvi sempre cantar murmúrios
Na doce queixa das elegias,
Como se fosses, nas tardes frias
De tons purpúreos,
A voz das minhas melancolias:

Com que delícia neste infortúnio,
Com que selvagem, profundo gozo,
Hoje te vejo bater raivoso,
Na maré-cheia de novilúnio,
Mar rumoroso!

Com que amargura mordes a areia,
Cuspindo a baba da acre salsugem,
No torvelinho de ondas que rugem
Na maré-cheia,
Mar de sargaços e de amarugem!

As minhas cóleras homicidas,
meus velhos ódios de iconoclasta,
Quedam-se absortos diante da vasta,
Pérfida vaga que tudo arrasta,
Mar que intimidas!

Em tuas ondas precipitadas,
Onde flamejam lampejos ruivos,
Gemem sereias despedaçadas,
Em longos uivos
Multiplicados pelas quebradas.

Mar que arremetes, mas que não cansas,
Mar de blasfêmias e de vinganças,
Como te invejo! Dentro em meu peito
Eu trago um pântano insatisfeito
De corrompidas desesperanças!...

1913

Os sinos

Sino de Belém,
Sino da Paixão...

Sino de Belém,
Sino da Paixão...

Sino do Bonfim!...
Sino do Bonfim!...

*

Sino de Belém, pelos que inda vêm!
Sino de Belém bate bem-bem-bem.

Sino da Paixão, pelos que lá vão!
Sino da Paixão bate bão-bão-bão.

Sino do Bonfim, por quem chora assim?...

*

Sino de Belém, que graça ele tem!
Sino de Belém bate bem-bem-bem.

Sino da Paixão – pela minha mãe!
Sino da Paixão – pela minha irmã!

Sino do Bonfim, que vai ser de mim?...

*

Sino de Belém, como soa bem!
Sino de Belém bate bem-bem-bem.

Sino da Paixão... Por meu pai?... – Não! Não!...
Sino da Paixão bate bão-bão-bão.

Sino do Bonfim, baterás por mim?...

*

Sino de Belém,
Sino da Paixão...
Sino da Paixão, pelo meu irmão...

Sino da Paixão,
Sino do Bonfim...
Sino do Bonfim, ai de mim, por mim!

*

Sino de Belém, que graça ele tem!

Madrigal melancólico

O que eu adoro em ti,
Não é a tua beleza.
A beleza, é em nós que ela existe.
A beleza é um conceito.
E a beleza é triste.
Não é triste em si,
Mas pelo que há nela de fragilidade e de incerteza.

O que eu adoro em ti,
Não é tua inteligência.
Não é o teu espírito sutil,
Tão ágil, tão luminoso,
– Ave solta no céu matinal da montanha.

Nem é a tua ciência
Do coração dos homens e das coisas.

O que eu adoro em ti,
Não é a tua graça musical,
Sucessiva e renovada a cada momento,
Graça aérea como o teu próprio pensamento.
Graça que perturba e que satisfaz.

O que eu adoro em ti,
Não é a mãe que já perdi.
Não é a irmã que já perdi.
E meu pai.

O que eu adoro em tua natureza,
Não é o profundo instinto maternal
Em teu flanco aberto como uma ferida.
Nem a tua pureza. Nem a tua impureza.
O que eu adoro em ti – lastima-me e consola-me!
O que eu adoro em ti, é a vida.

11 de junho de 1920

Quando perderes o gosto humilde da tristeza...

Quando perderes o gosto humilde da tristeza,
Quando, nas horas melancólicas do dia,
Não ouvires mais os lábios da sombra
Murmurarem ao teu ouvido
As palavras de voluptuosa beleza
Ou de casta sabedoria;

Quando a tua tristeza não for mais que amargura,
Quando perderes todo estímulo e toda crença,
– A fé no bem e na virtude,
A confiança nos teus amigos e na tua amante,
Quando o próprio dia se te mudar em noite escura
De desconsolação e malquerença;

Quando, na agonia de tudo o que passa
Ante os olhos imóveis do infinito,
Na dor de ver murcharem as rosas,
E como as rosas tudo o que é belo e frágil,
Não sentires em teu ânimo aflito
Crescer a ânsia de vida como uma divina graça:

Quando tiveres inveja, quando o ciúme
Crestar os últimos lírios de tua alma desvirginada;
Quando em teus olhos áridos
Estancarem-se as fontes das suaves lágrimas
Em que se amorteceu o pecaminoso lume
De tua inquieta mocidade:

Então sorri pela última vez, tristemente,
A tudo o que outrora
Amaste. Sorri tristemente...
Sorri mansamente... em um sorriso pálido... pálido
Como o beijo religioso que puseste
Na fronte morte de tua mãe... sobre a sua fronte morta...

A estrada

Esta estrada onde moro, entre duas voltas do caminho,
Interessa mais que uma avenida urbana.
Nas cidades todas as pessoas se parecem.
Todo o mundo é igual. Todo o mundo é toda a gente.

Aqui, não: sente-se bem que cada um traz a sua alma.
Cada criatura é única.
Até os cães.
Estes cães da roça parecem homens de negócios:
Andam sempre preocupados.
E quanta gente vem e vai!
E tudo tem aquele caráter impressivo que faz meditar:
Enterro a pé ou a carrocinha de leite puxada por um
[bodezinho manhoso.
Nem falta o murmúrio da água, para sugerir, pela voz
[dos símbolos,
Que a vida passa! que a vida passa!
E que a mocidade vai acabar.

Petrópolis, 1921

Meninos carvoeiros

Os meninos carvoeiros
Passam a caminho da cidade.
– Eh, carvoero!
E vão tocando os animais com um relho enorme.

Os burros são magrinhos e velhos.
Cada um leva seis sacos de carvão de lenha.
A aniagem é toda remendada.
Os carvões caem.

(Pela boca da noite vem uma velhinha que os recolhe,
[dobrando-se com um gemido.)

– Eh, carvoero!

Só mesmo estas crianças raquíticas
Vão bem com estes burrinhos descadeirados.

A madrugada ingênua parece feita para eles...
Pequenina, ingênua miséria!
Adoráveis carvoeirinhos que trabalhais como se
[brincásseis!

– Eh, carvoero!

Quando voltam, vêm mordendo num pão encarvoado,
Encarapitados nas alimárias,
Apostando corrida,
Dançando, bamboleando nas cangalhas como
[espantalhos desamparados!

Petrópolis, 1921

Noturno da Mosela

A noite... O silêncio...
Se fosse só o silêncio!
Mas esta queda d'água que não pára! que não pára!
Não é de dentro de mim que ela flui sem piedade?...
A minha vida foge, foge – e sinto que foge inutilmente!

O silêncio e a estrada ensopada, com dois reflexos
[intermináveis...

Fumo até quase não sentir mais que a brasa e a cinza
[em minha boca.
O fumo faz mal aos meus pulmões comidos pelas algas.
O fumo é amargo e abjeto. Fumo abençoado, que és
[amargo e abjeto!

Uma pequenina aranha urde no peitoril da janela a
[teiazinha levíssima.

Tenho vontade de beijar esta aranhazinha...

No entanto em cada charuto que acendo cuido encontrar
[o gosto que faz esquecer...

Os meus retratos... Os meus livros... o meu crucifixo
[de marfim...
E a noite...

Petrópolis, 1921

Gesso

Esta minha estatuazinha de gesso, quando nova
– O gesso muito branco, as linhas muito puras –
Mal sugeria imagem de vida
(Embora a figura chorasse).
Há muitos anos tenho-a comigo.
O tempo envelheceu-a, carcomeu-a, manchou-a de
[pátina amarelo-suja.
Os meus olhos, de tanto a olharem,
Impregnaram-na da minha humanidade irônica de
[tísico.

Um dia mão estúpida
Inadvertidamente a derrubou e partiu.
Então ajoelhei com raiva, recolhi aqueles tristes
[fragmentos, recompus a figurinha que chorava.
E o tempo sobre as feridas escureceu ainda mais o sujo
[mordente da pátina...

Hoje este gessozinho comercial
É tocante e vive, e me fez agora refletir
Que só é verdadeiramente vivo o que já sofreu.

Noite morta

Noite morta.
Junto ao poste de iluminação
Os sapos engolem mosquitos.

Ninguém passa na estrada.
Nem um bêbado.

No entanto há seguramente por ela uma procissão de
[sombras.
Sombras de todos os que passaram.
Os que ainda vivem e os que já morreram.

O córrego chora.
A voz da noite...

(Não desta noite, mas de outra maior.)

Petrópolis 1921

Na Rua do Sabão

Cai cai balão
Cai cai balão
Na Rua do Sabão!

O que custou arranjar aquele balãozinho de papel!
Quem fez foi o filho da lavadeira.
Um que trabalha na composição do jornal e tosse muito.
Comprou o papel de seda, cortou-o com amor, compôs
[os gomos oblongos...
Depois ajustou o morrão de pez ao bocal de arame.

Ei-lo agora que sobe – pequena coisa tocante na
[escuridão do céu.

Levou tempo para criar fôlego.
Bambeava, tremia todo e mudava de cor.
A molecada da Rua do Sabão
Gritava com maldade:
Cai cai balão!

Subitamente, porém, entesou, enfunou-se e arrancou
[das mãos que o tenteavam.

E foi subindo...
para longe...
serenamente...
Como se o enchesse o soprinho tísico do José.

Cai cai balão!

A molecada salteou-o com atiradeiras
assobios
apupos
pedradas.

Cai cai balão!

Um senhor advertiu que os balões são proibidos pelas
[posturas municipais.

Ele, foi subindo...
muito serenamente...
para muito longe...
Não caiu na Rua do Sabão.
Caiu muito longe... Caiu no mar – nas águas puras do
[mar alto.

Berimbau

Os aguapés dos aguaçais
Nos igapós dos Japurás
Bolem, bolem, bolem.
Chama o saci: – Si si si si!
– Ui ui ui ui ui! uiva a iara
Nos aguaçais dos igapós
Dos Japurás e dos Purus.

A mameluca é uma maluca.
Saiu sozinha da maloca –
O boto bate – bite bite...
Quem ofendeu a mameluca?
– Foi o boto!
O Cussaruim bota quebrantos.
Nos aguaçais os aguapés
– Cruz, canhoto! –
Bolem... Peraus dos Japurás
De assombramentos e de espantos!...

Balõezinhos

Na feira livre do arrebaldezinho
Um homem loquaz apregoa balõezinhos de cor:
– "O melhor divertimento para as crianças!"
Em redor dele há um ajuntamento de menininhos
[pobres,
Fitando com olhos muito redondos os grandes
[balõezinhos muito redondos.

No entanto a feira burburinha.
Vão chegando as burguesinhas pobres,

E as criadas das burguesinhas ricas,
E mulheres do povo, e as lavadeiras da redondeza.

Nas bancas de peixe,
Nas barraquinhas de cereais,
Junto às cestas de hortaliças
O tostão é regateado com acrimônia.

Os meninos pobres não vêem as ervilhas tenras,
Os tomatinhos vermelhos,
Nem as frutas,
Nem nada.

Sente-se bem que para eles ali na feira os balõezinhos de
[cor são a única mercadoria útil e
[verdadeiramente indispensável
O vendedor infatigável apregoa:
– "O melhor divertimento para as crianças!"
E em torno do homem loquaz os menininhos pobres
[fazem um círculo inamovível de desejo e espanto.

LIBERTINAGEM

Não sei dançar

Uns tomam éter, outros cocaína.
Eu já tomei tristeza, hoje tomo alegria.
Tenho todos os motivos menos um de ser triste.
Mas o cálculo das probabilidades é uma pilhéria...
Abaixo Amiel!
E nunca lerei o diário de Maria Bashkirtseff.

Sim, já perdi pai, mãe, irmãos.
Perdi a saúde também.
É por isso que sinto como ninguém o ritmo do jazz-band.

Uns tomam éter, outros cocaína.
Eu tomo alegria!
Eis aí por que vim assistir a este baile de terça-feira gorda.

Mistura muito excelente de chás...
Esta foi açafata...
– Não, foi arrumadeira.
E está dançando com o ex-prefeito municipal:
Tão Brasil!

De fato este salão de sangues misturados parece o Brasil...

Há até a fração incipiente amarela
Na figura de um japonês.
O japonês também dança maxixe:
Acugêlê banzai!

A filha do usineiro de Campos
Olha com repugnância
Para a crioula imoral.
No entanto o que faz a indecência da outra
É dengue nos olhos maravilhosos da moça.
E aquele cair de ombros...
Mas ela não sabe...
Tão Brasil!

Ninguém se lembra de política...
Nem dos oito mil quilômetros de costa...
O algodão do Seridó é o melhor do mundo?... Que me
[importa?
Não há malária nem moléstia de Chagas nem
[ancilóstomos.
A sereia sibila e o ganzá do jazz-band batuca.
Eu tomo alegria!

Petrópolis, 1925

O ANJO DA GUARDA

Quando minha irmã morreu,
(Devia ter sido assim)
Um anjo moreno, violento e bom,
– brasileiro

Veio ficar ao pé de mim.
O meu anjo da guarda sorriu
E voltou para junto do Senhor.

Mulheres

Como as mulheres são lindas!
Inútil pensar que é do vestido...
E depois não há só as bonitas:
Há também as simpáticas.
E as feias, certas feias em cujos olhos vejo isto:
Uma menininha que é batida e pisada e nunca sai da
[cozinha.

Como deve ser bom gostar de uma feia!
O meu amor porém não tem bondade alguma.
É fraco! fraco!
Meu Deus, eu amo como as criancinhas...

És linda como uma história da carochinha...
E eu preciso de ti como precisava de mamãe e papai
(No tempo em que pensava que os ladrões moravam
[no morro atrás de casa e tinham cara de pau).

Pensão familiar

Jardim da pensãozinha burguesa.
Gatos espapaçados ao sol.
A tiririca sitia os canteiros chatos.
O sol acaba de crestar as boninas que murcharam.
Os girassóis
amarelo!
resistem.
E as dálias, rechonchudas, plebéias, dominicais.

Um gatinho faz pipi.
Com gestos de garçom de restaurant-Palace

Encobre cuidadosamente a mijadinha.
Sai vibrando com elegância a patinha direita:
– É a única criatura fina na pensãozinha burguesa.

Petrópolis, 1925

Camelôs

Abençoado seja o camelô dos brinquedos de tostão:
O que vende balõezinhos de cor
O macaquinho que trepa no coqueiro
O cachorrinho que bate com o rabo
Os homenzinhos que jogam box
A perereca verde que de repente dá um pulo que
[engraçado
E as canetinhas-tinteiro que jamais escreverão coisa
[alguma.

Alegria das calçadas
Uns falam pelos cotovelos:
– "O cavalheiro chega em casa e diz: Meu filho, vai
[buscar um pedaço de banana para eu acender o
[charuto. Naturalmente o menino pensará:
[Papai está malu..."

Outros, coitados, têm a língua atada.

Todos porém sabem mexer nos cordéis com o tino
[ingênuo de demiurgos de inutilidades.
E ensinam no tumulto das ruas os mitos heróicos da
[meninice...
E dão aos homens que passam preocupados ou tristes
[uma lição de infância.

O cacto

Aquele cacto lembrava os gestos desesperados da
[estatuária:
Laocoonte constrangido pelas serpentes,
Ugolino e os filhos esfaimados.
Evocava também o seco Nordeste, carnaubais, caatingas...
Era enorme, mesmo para esta terra de feracidades
[excepcionais.

Um dia um tufão furibundo abateu-o pela raiz.
O cacto tombou atravessado na rua,
Quebrou os beirais do casario fronteiro,
Impediu o trânsito de bondes, automóveis, carroças,
Arrebentou os cabos elétricos e durante vinte e quatro
[horas privou a cidade de iluminação e energia:

– Era belo, áspero, intratável.

Petrópolis, 1925

Pneumotórax

Febre, hemoptise, dispnéia e suores noturnos.
A vida inteira que podia ter sido e que não foi.
Tosse, tosse, tosse.

Mandou chamar o médico:
– Diga trinta e três.
– Trinta e três... trinta e três... trinta e três...
– Respire.
....

O senhor tem uma escavação no pulmão esquerdo e o
[pulmão direito infiltrado.
– Então, doutor, não é possível tentar o pneumotórax?
– Não. A única coisa a fazer é tocar um tango argentino.

Comentário musical

O meu quarto de dormir a cavaleiro da entrada da barra.
Entram por ele dentro
Os ares oceânicos,
Maresias atlânticas:
São Paulo de Luanda, Figueira da Foz, praias gaélicas
[da Irlanda...

O comentário musical da paisagem só podia ser o
[sussurro sinfônico da vida civil.

No entanto o que ouço neste momento é um silvo
[agudo de sagüim:
Minha vizinha de baixo comprou um sagüim.

Poética

Estou farto do lirismo comedido
Do lirismo bem comportado
Do lirismo funcionário público com livro de ponto
[expediente protocolo e manifestações de apreço
[ao sr. diretor

Estou farto do lirismo que pára e vai averiguar no
[dicionário o cunho vernáculo de um vocábulo

Abaixo os puristas

Todas as palavras sobretudo os barbarismos universais
Todas as construções sobretudo as sintaxes de exceção
Todos os ritmos sobretudo os inumeráveis

Estou farto do lirismo namorador
Político
Raquítico
Sifilítico
De todo lirismo que capitula ao que quer que seja fora
[de si mesmo.

De resto não é lirismo
Será contabilidade tabela de co-senos secretário do
[amante exemplar com cem modelos
[de cartas e as diferentes maneiras
[de agradar às mulheres, etc.

Quero antes o lirismo dos loucos
O lirismo dos bêbedos
O lirismo difícil e pungente dos bêbedos
O lirismo dos clowns de Shakespeare

– Não quero mais saber do lirismo que não é libertação.

Porquinho-da-índia

Quando eu tinha seis anos
Ganhei um porquinho-da-índia.
Que dor de coração me dava
Porque o bichinho só queria estar debaixo do fogão!
Levava ele pra sala
Pra os lugares mais bonitos mais limpinhos

Ele não gostava:
Queria era estar debaixo do fogão.
Não fazia caso nenhum das minhas ternurinhas...

– O meu porquinho-da-índia foi a minha primeira [namorada.

Mangue

Mangue mais Veneza americana do que o Recife
Cargueiros atracados nas docas do Canal Grande
O Morro do Pinto morre de espanto
Passam estivadores de torso nu suando facas de ponta
Café baixo
Trapiches alfandegados
Catraias de abacaxis e de bananas
A Light fazendo crusvaldina com resíduos de coque
Há macumbas no piche
        Eh cagira mia pai
        Eh cagira
E o luar é uma coisa só

Houve tempo em que a Cidade Nova era mais subúrbio [do que todas as Meritis da Baixada
Pátria amada idolatrada de empregadinhos de [repartições públicas
Gente que vive porque é teimosa
Cartomantes da Rua Carmo Neto
Cirurgiões-dentistas com raízes gregas nas tabuletas [avulsivas
O Senador Eusébio e o Visconde de Itaúna já se olhavam [com rancor
(Por isso
Entre os dois

Dom João VI plantou quatro renques de palmeiras-
[imperiais)
Casinhas tão térreas onde tantas vezes meu Deus fui
[funcionário público casado com mulher feia
[e morri de tuberculose pulmonar
Muitas palmeiras se suicidaram porque não viviam num
[píncaro azulado.
Era aqui que choramingavam os primeiros choros dos
[carnavais cariocas

Sambas da Tia Ciata
Cadê mais Tia Ciata
Talvez em Dona Clara meu branco
Ensaiando cheganças pra o Natal
O menino Jesus – Quem sois tu?
O preto – Eu sou aquele preto principá do
[centro do cafange do fundo do rebolo.
[Quem sois tu?
O Menino Jesus – Eu sou o fio da Virge Maria.
O preto – Entonces como é fio dessa senhora
[obedeço.
O menino Jesus – Entonces cuma você obedece,
[reze aqui um terceto pr'esse exerço vê.
O Mangue era simplesinho

Mas as inundações dos solstícios de verão
Trouxeram para Mata-Porcos todas as uiaras da Serra
[da Carioca

Uiaras do Trapicheiro
Do Maracanã
Do rio Joana
E vieram também sereias de além-mar jogadas pela
[ressaca nos aterrados da Gamboa
Hoje há transatlânticos atracados nas docas do Canal
[Grande
O Senador e o Visconde arranjaram capangas

Hoje se fala numa porção de ruas em que dantes
[ninguém acreditava
E há partidas para o Mangue
Com choros de cavaquinho, pandeiro e reco-reco
És mulher
És mulher e nada mais

OFERTA

Mangue mais Veneza americana do que o Recife
Meriti meretriz
Mangue enfim verdadeiramente Cidade Nova
Com transatlânticos atracados nas docas do Canal Grande
Linda como Juiz de Fora!

Belém do Pará

Bembelelém
Viva Belém!

Belém do Pará porto moderno integrado na equatorial
Beleza eterna da paisagem

Bembelelém
Viva Belém!

Cidade pomar
(Obrigou a polícia a classificar um tipo novo de
[delinqüente:
O apedrejador de mangueiras.)

Bembelelém
Viva Belém!

Belém do Pará onde as avenidas se chamam Estradas:
Estrada de São Jerônimo
Estrada de Nazaré

Onde a banal Avenida Marechal Deodoro da Fonseca
[de todas as cidades do Brasil

Se chama liricamente
Brasileiramente
Estrada do Generalíssimo Deodoro

Bembelelém
Viva Belém!
Nortista gostosa
Eu te quero bem.

Terra da castanha
Terra da borracha
Terra de biribá bacuri sapoti
Terra de fala cheia de nome indígena
Que a gente não sabe se é de fruta pé de pau ou ave de
[plumagem bonita.

Nortista gostosa
Eu te quero bem.

Me obrigarás a novas saudades
Nunca mais me esquecerei do teu Largo da Sé
Com a fé maciça das duas maravilhosas igrejas barrocas
E o renque ajoelhado de sobradinhos coloniais tão
[bonitinhos

Nunca mais me esquecerei
Das velas encarnadas
Verdes

Azuis
Da doca de Ver-o-Peso
Nunca mais

E foi pra me consolar mais tarde
Que inventei esta cantiga:

Bembelelém
Viva Belém!
Nortista gostosa
Eu te quero bem.

Belém, 1928

Evocação do Recife

Recife
Não a Veneza americana
Não a Mauritsstad dos armadores das Índias Ocidentais
Não o Recife dos Mascates
Nem mesmo o Recife que aprendi a amar depois –
Recife das revoluções libertárias
Mas o Recife sem história nem literatura
Recife sem mais nada
Recife da minha infância

A Rua da União onde eu brincava de chicote-queimado
[e partia as vidraças da casa de Dona Aninha Viegas
Totônio Rodrigues era muito velho e botava o pincenê
[na ponta do nariz
Depois do jantar as famílias tomavam a calçada com
[cadeiras, mexericos, namoros, risadas

A gente brincava no meio da rua
Os meninos gritavam:

Coelho sai!
Não sai!

A distância as vozes macias das meninas politonavam:

Roseira dá-me uma rosa
Craveiro dá-me um botão

(Dessas rosas muita rosa
Terá morrido em botão...)

De repente
nos longes da noite
um sino

Uma pessoa grande dizia:
Fogo em Santo Antônio!
Outra contrariava: São José!
Totônio Rodrigues achava sempre que era São José.
Os homens punham o chapéu saíam fumando
E eu tinha raiva de ser menino porque não podia ir
[ver o fogo

Rua da União...
Como eram lindos os nomes das ruas da minha infância
Rua do Sol
(Tenho medo que hoje se chame do Dr. Fulano de Tal)
Atrás de casa ficava a Rua da Saudade...
...onde se ia fumar escondido
Do lado de lá era o cais da Rua da Aurora...
...onde se ia pescar escondido
Capiberibe
– Capibaribe

Lá longe o sertãozinho de Caxangá
Banheiros de palha
Um dia eu vi uma moça nuinha no banho
Fiquei parado o coração batendo
Ela se riu
Foi o meu primeiro alumbramento

Cheia! As cheias! Barro boi morto árvores destroços
[redomoinho sumiu
E nos pegões da ponte do trem de ferro os caboclos
[destemidos em jangadas de bananeiras

Novenas
Cavalhadas
Eu me deitei no colo da menina e ela começou a passar
[a mão nos meus cabelos
Capiberibe
– Capibaribe

Rua da União onde todas as tardes passava a preta das
[bananas
Com o xale vistoso de pano da Costa
E o vendedor de roletes de cana
O de amendoim
que se chamava midubim e não era torrado era
[cozido
Me lembro de todos os pregões:
Ovos frescos e baratos
Dez ovos por uma pataca
Foi há muito tempo...

A vida não me chegava pelos jornais nem pelos livros
Vinha da boca do povo na língua errada do povo
Língua certa do povo

Porque ele é que fala gostoso o português do Brasil
Ao passo que nós
O que fazemos
É macaquear
A sintaxe lusíada
A vida com uma porção de coisas que eu não entendia
[bem
Terras que não sabia onde ficavam
Recife...
Rua da União...
A casa de meu avô...
Nunca pensei que ela acabasse!
Tudo lá parecia impregnado de eternidade

Recife...
Meu avô morto.
Recife morto, Recife bom, Recife brasileiro como a casa
[de meu avô

Rio, 1925

Poema tirado de uma notícia de jornal

João Gostoso era carregador de feira livre e morava no
[morro da Babilônia num barracão sem número.
Uma noite ele chegou no bar Vinte de Novembro
Bebeu
Cantou
Dançou
Depois se atirou na Lagoa Rodrigo de Freitas e morreu
[afogado.

Teresa

A primeira vez que vi Teresa
Achei que ela tinha pernas estúpidas
Achei também que a cara parecia uma perna

Quando vi Teresa de novo
Achei que os olhos eram muito mais velhos que o resto
[do corpo
(Os olhos nasceram e ficaram dez anos esperando que
[o resto do corpo nascesse)

Da terceira vez não vi mais nada
Os céus se misturaram com a terra
E o espírito de Deus voltou a se mover sobre a face das
[águas.

A Virgem Maria

O oficial do registro civil, o coletor de impostos, o
[mordomo da Santa Casa e o administrador
[do cemitério de São João Batista.
Cavaram com enxadas
Com pás
Com as unhas
Com os dentes
Cavaram uma cova mais funda que o meu suspiro de
[renúncia
Depois me botaram lá dentro
E puseram por cima
As Tábuas da Lei

Mas de lá de dentro do fundo da treva do chão da cova
Eu ouvia a vozinha da Virgem Maria

Dizer que fazia sol lá fora
Dizer i n s i s t e n t e m e n t e
Que fazia sol lá fora.

Oração no saco de Mangaratiba

Nossa Senhora me dê paciência
Para estes mares para esta vida!
Me dê paciência pra que eu não caia
Pra que eu não pare nesta existência
Tão mal cumprida tão mais comprida
Do que a restinga de Marambaia!...

1926

Cunhantã

Vinha do Pará
Chamava Siquê.
Quatro anos. Escurinha. O riso gutural da raça.
Piá branca nenhuma corria mais do que ela.

Tinha uma cicatriz no meio da testa:
– Que foi isto, Siquê?
Com voz de detrás da garganta, a boquinha tuíra:
– Minha mãe (a madrasta) estava costurando
Disse vai ver se tem fogo
Eu soprei eu soprei eu soprei não vi fogo
Aí ela se levantou e esfregou com minha cabeça na brasa

Riu, riu, riu...

Uêrêquitáua.
O ventilador era a coisa que roda.
Quando se machucava, dizia: Ai Zizus!

1927

Andorinha

Andorinha lá fora está dizendo:
– "Passei o dia à toa, à toa!"

Andorinha, andorinha, minha cantiga é mais triste!
Passei a vida à toa, à toa...

Profundamente

Quando ontem adormeci
Na noite de São João
Havia alegria e rumor
Estrondos de bombas luzes de Bengala
Vozes cantigas e risos
Ao pé das fogueiras acesas.

No meio da noite despertei
Não ouvi mais vozes nem risos
Apenas balões
Passavam errantes
Silenciosamente
Apenas de vez em quando
O ruído de um bonde
Cortava o silêncio
Como um túnel.

Onde estavam os que há pouco
Dançavam
Cantavam
E riam
Ao pé das fogueiras acesas?

– Estavam todos dormindo
Estavam todos deitados
Dormindo
Profundamente.

*

Quando eu tinha seis anos
Não pude ver o fim da festa de São João
Porque adormeci

Hoje não ouço mais as vozes daquele tempo
Minha avó
Meu avô
Totônio Rodrigues
Tomásia
Rosa
Onde estão todos eles?

– Estão todos dormindo
Estão todos deitados
Dormindo
Profundamente.

Noturno da Parada Amorim

O violoncelista estava a meio do Concerto de Schumann

Subitamente o coronel ficou transportado e começou a
[gritar: "*Je vois des anges! Je vois des anges!*"
[– E deixou-se escorregar sentado pela escada abaixo.

O telefone tilintou.
Alguém chamava?... Alguém pedia socorro?...

Mas do outro lado não vinha senão o rumor de um
[pranto desesperado!...

(Eram três horas.
Todas as agências postais estavam fechadas.
Dentro da noite a voz do coronel continuava gritando:
["*Je vois des anges! Je vois de anges!*")

Macumba de Pai Zusé

Na macumba do Encantado
Nego véio pai de santo fez mandinga
No palacete de Botafogo
Sangue de branca virou água
Foram vê estava morta!

Noturno da Rua da Lapa

A janela estava aberta. Para o quê não sei, mas o que entrava era o vento dos lupanares, de mistura com o eco que se partia nas curvas cicloidais, e fragmentos do hino da bandeira.

Não posso atinar no que eu fazia: se meditava, se morria de espanto ou se vinha de muito longe.

Nesse momento (oh! por que precisamente nesse momento?...) é que penetrou no quarto o bicho que voava, o articulado implacável, implacável!

Compreendi desde logo não haver possibilidade alguma de evasão. Nascer de novo também não adiantava. – A bomba de flit! pensei comigo, é um inseto!

Quando o jacto fumigatório partiu, nada mudou em mim; os sinos da redenção continuaram em silêncio, nenhuma porta se abriu nem fechou. Mas o monstruoso animal FICOU MAIOR. Senti que ele não morreria nunca mais, nem sairia, conquanto não houvesse no aposento nenhum busto de Palas, nem na minh'alma, o que é pior, a recordação persistente de alguma extinta Lenora.

Irene no céu

Irene preta
Irene boa
Irene sempre de bom humor.

Imagino Irene entrando no céu:
– Licença, meu branco!
E São Pedro bonachão:
– Entra, Irene. Você não precisa pedir licença.

Vou-me embora pra Pasárgada

Vou-me embora pra Pasárgada
Lá sou amigo do rei
Lá tenho a mulher que eu quero
Na cama que escolherei
Vou-me embora pra Pasárgada

Vou-me embora pra Pasárgada
Aqui eu não sou feliz
Lá a existência é uma aventura
De tal modo inconseqüente
Que Joana a Louca de Espanha
Rainha e falsa demente
Vem a ser contraparente
Da nora que nunca tive

E como farei ginástica
Andarei de bicicleta
Montarei em burro brabo
Subirei no pau-de-sebo
Tomarei banhos de mar!
E quando estiver cansado
Deito na beira do rio
Mando chamar a mãe-d'água
Pra me contar as histórias
Que no tempo de eu menino
Rosa vinha me contar
Vou-me embora pra Pasárgada

Em Pasárgada tem tudo
É outra civilização
Tem um processo seguro
De impedir a concepção
Tem telefone automático
Tem alcalóide à vontade
Tem prostitutas bonitas
Para a gente namorar

E quando eu estiver mais triste
Mas triste de não ter jeito
Quando de noite me der
Vontade de me matar
– Lá sou amigo do rei –

Terei a mulher que eu quero
Na cama que escolherei
Vou-me embora pra Pasárgada.

Poema de Finados

Amanhã que é dia dos mortos
Vai ao cemitério. Vai
E procura entre as sepulturas
A sepultura de meu pai.

Leva três rosas bem bonitas.
Ajoelha e reza uma oração.
Não pelo pai, mas pelo filho:
O filho tem mais precisão.

O que resta de mim na vida
É a amargura do que sofri.
Pois nada quero, nada espero.
E em verdade estou morto ali.

O último poema

Assim eu quereria o meu último poema

Que fosse terno dizendo as coisas mais simples e menos
[intencionais
Que fosse ardente como um soluço sem lágrimas
Que tivesse a beleza das flores quase sem perfume
A pureza da chama em que se consomem os diamantes
[mais límpidos
A paixão dos suicidas que se matam sem explicação.

ESTRELA DA MANHÃ

Estrela da manhã

Eu quero a estrela da manhã
Onde está a estrela da manhã?
Meus amigos meus inimigos
Procurem a estrela da manhã

Ela desapareceu ia nua
Desapareceu com quem?
Procurem por toda parte

Digam que sou um homem sem orgulho
Um homem que aceita tudo
Que me importa?
Eu quero a estrela da manhã

Três dias e três noites
Fui assassino e suicida
Ladrão, pulha, falsário

Virgem mal-sexuada
Atribuladora dos aflitos
Girafa de duas cabeças
Pecai por todos pecai com todos

Pecai com os malandros
Pecai com os sargentos
Pecai com os fuzileiros navais
Pecai de todas as maneiras

Com os gregos e com os troianos
Com o padre e com o sacristão
Com o leproso de Pouso Alto

Depois comigo

Te esperarei com mafuás novenas cavalhadas comerei
[terra e direi coisas de uma ternura tão simples
Que tu desfalecerás

Procurem por toda parte
Pura ou degradada até a última baixeza
Eu quero a estrela da manhã.

Canção das duas Índias

Entre estas Índias de leste
E as Índias ocidentais
Meu Deus que distância enorme
Quantos Oceanos Pacíficos
Quantos bancos de corais
Quantas frias latitudes!
Ilhas que a tormenta arrasa
Que os terremotos subvertem
Desoladas Marambaias
Sirtes sereias Medéias
Púbis a não poder mais
Altos como a estrela-d'alva
Longínquos como Oceanias
– Brancas, sobrenaturais –
Oh inaccessíveis praias!...

1931

Poema do beco

Que importa a paisagem, a Glória, a baía, a linha do
[horizonte?
– O que eu vejo é o beco.

1933

Balada das três mulheres do sabonete Araxá

As três mulheres do sabonete Araxá me invocam, me
[bouleversam, me hipnotizam.
Oh, as três mulheres do sabonete Araxá às 4 horas da
[tarde!
O meu reino pelas três mulheres do sabonete Araxá!

Que outros, não eu, a pedra cortem
Para brutais vos adorarem,
Ó brancaranas azedas,
Mulatas cor da lua vêm saindo cor de prata
Ou celestes africanas:
Que eu vivo, padeço e morro só pelas três mulheres do
[sabonete Araxá!

São amigas, são irmãs, são amantes as três mulheres do
[sabonete Araxá?
São prostitutas, são declamadoras, são acrobatas?
São as três Marias?

Meu Deus, serão as três Marias?

A mais nua é doirada borboleta.
Se a segunda casasse, eu ficava safado da vida, dava pra [beber e nunca mais telefonava.
Mas se a terceira morresse... Oh, então, nunca mais a [minha vida outrora teria sido um festim!

Se me perguntassem: Queres ser estrela? queres ser [rei? queres uma ilha no Pacifico? [um bangalô em Copacabana?
Eu responderia: Não quero nada disso, tetrarca. Eu só [quero as três mulheres do sabonete Araxá:
O meu reino pelas três mulheres do sabonete Araxá!

Teresópolis, 1931

Momento num café

Quando o enterro passou
Os homens que se achavam no café
Tiraram o chapéu maquinalmente
Saudavam o morto distraídos
Estavam todos voltados para a vida
Absortos na vida
Confiantes na vida.

Um no entanto se descobriu num gesto largo e demorado
Olhando o esquife longamente
Este sabia que a vida é uma agitação feroz e sem [finalidade
Que a vida é traição
E saudava a matéria que passava
Liberta para sempre da alma extinta.

Trucidaram o rio

Prendei o rio
Maltratai o rio
Trucidai o rio
A água não morre
A água que é feita
De gotas inermes
Que um dia serão
Maiores que o rio
Grandes como o oceano
Fortes como os gelos
Os gelos polares
Que tudo arrebentam.

1935

Trem de ferro

Café com pão
Café com pão
Café com pão

Virge Maria que foi isso maquinista?

Agora sim
Café com pão
Agora sim
Voa, fumaça
Corre, cerca
Ai seu foguista
Bota fogo
Na fornalha
Que eu preciso

Muita força
Muita força
Muita força

Oô...
Foge, bicho
Foge, povo
Passa ponte
Passa poste
Passa pasto
Passa boi
Passa boiada
Passa galho
De ingazeira
Debruçada
No riacho
Que vontade
De cantar!

Oô...
Quando me prendero
No canaviá
Cada pé de cana
Era um oficiá
Oô...
Menina bonita
Do vestido verde
Me dá tua boca
Pra matá minha sede
Oô...
Vou mimbora vou mimbora
Não gosto daqui
Nasci no sertão
Sou de Ouricuri
Oô...

Vou depressa
Vou correndo
Vou na toda
Que só levo
Pouca gente
Pouca gente
Pouca gente...

Tragédia brasileira

Misael, funcionário da Fazenda, com 63 anos de idade.

Conheceu Maria Elvira na Lapa – prostituída, com sífilis, dermite nos dedos, uma aliança empenhada e os dentes em petição de miséria.

Misael tirou Maria Elvira da vida, instalou-a num sobrado no Estácio, pagou médico, dentista, manicura... Dava tudo quanto ela queria.

Quando Maria Elvira se apanhou de boca bonita, arranjou logo um namorado.

Misael não queria escândalo. Podia dar uma surra, um tiro, uma facada. Não fez nada disso: mudou de casa.

Viveram três anos assim.

Toda vez que Maria Elvira arranjava namorado, Misael mudava de casa.

Os amantes moraram no Estácio, Rocha, Catete, Rua General Pedra, Olaria, Ramos, Bonsucesso, Vila Isabel, Rua Marquês de Sapucaí, Niterói, Encantado, Rua Clapp, outra vez no Estácio, Todos os Santos, Catumbi, Lavradio, Boca do Mato, Inválidos...

Por fim na Rua da Constituição, onde Misael, privado de sentidos e de inteligência, matou-a com seis tiros, e a polícia foi encontrá-la caída em decúbito dorsal, vestida de organdi azul.

1933

Rondó dos cavalinhos

Os cavalinhos correndo.
E nós, cavalões, comendo...
Tua beleza, Esmeralda,
Acabou me enlouquecendo.

Os cavalinhos correndo,
E nós, cavalões, comendo...
O sol tão claro lá fora,
E em minh'alma – anoitecendo!

Os cavalinhos correndo,
E nós, cavalões, comendo...
Alfonso Reyes partindo,
E tanta gente ficando...

Os cavalinhos correndo,
E nós, cavalões, comendo...
A Itália falando grosso,
A Europa se avacalhando...

Os cavalinhos correndo,
E nós, cavalões, comendo...
O Brasil politicando,
Nossa! A poesia morrendo...
O sol tão claro lá fora,
O sol tão claro, Esmeralda,
E em minh'alma – anoitecendo!

LIRA DOS CINQÜENT'ANOS

Maçã

Por um lado te vejo como um seio murcho
Pelo outro como um ventre de cujo umbigo pende ainda
[o cordão placentário

És vermelha como o amor divino

Dentro de ti em pequenas pevides
Palpita a vida prodigiosa
Infinitamente

E quedas tão simples
Ao lado de um talher
Num quarto pobre de hotel.

Petrópolis, 25.2.1938

Versos de Natal

Espelho, amigo verdadeiro,
Tu refletes as minhas rugas,
Os meus cabelos brancos,
Os meus olhos míopes e cansados.
Espelho, amigo verdadeiro,
Mestre do realismo exato e minucioso,
Obrigado, obrigado!

Mas se fosses mágico,
Penetrarias até ao fundo desse homem triste,
Descobririas o menino que sustenta esse homem,
O menino que não quer morrer,
Que não morrerá senão comigo,
O menino que todos os anos na véspera do Natal
Pensa ainda em pôr os seus chinelinhos atrás da porta.

1939

Soneto inglês nº 2

Aceitar o castigo imerecido,
Não por fraqueza, mas por altivez.
No tormento mais fundo o teu gemido
Trocar num grito de ódio a quem o fez.
As delícias da carne e pensamento
Com que o instinto da espécie nos engana
Sobpor ao generoso sentimento
De uma afeição mais simplesmente humana.
Não tremer de esperança nem de espanto.
Nada pedir nem desejar senão
A coragem de ser um novo santo
Sem fé num mundo além do mundo. E então
Morrer sem uma lágrima, que a vida,
Não vale a pena e a dor de ser vivida.

Água-forte

O preto no branco,
O pente na pele:
Pássaro espalmado
No céu quase branco.

Em meio do pente,
A concha bivalve
Num mar de escarlata.
Concha, rosa ou tâmara?

No escuro recesso,
As fontes da vida
A sangrar inúteis
Por duas feridas.

Tudo bem oculto
Sob as aparências
Da água-forte simples:
De face, de flanco,
O preto no branco.

A morte absoluta

Morrer.
Morrer de corpo e de alma.
Completamente.

Morrer sem deixar o triste despojo da carne,
A exangue máscara de cera,
Cercada de flores,
Que apodrecerão – felizes! – num dia,
Banhada de lágrimas
Nascidas menos da saudade do que do espanto da
[morte.

Morrer sem deixar porventura uma alma errante...
A caminho do céu?
Mas que céu pode satisfazer teu sonho de céu?

Morrer sem deixar um sulco, um risco, uma sombra,
A lembrança de uma sombra
Em nenhum coração, em nenhum pensamento.
Em nenhuma epiderme.

Morrer tão completamente
Que um dia ao lerem o teu nome num papel
Perguntem: "Quem foi?..."

Morrer mais completamente ainda,
– Sem deixar sequer esse nome.

A estrela

Vi uma estrela tão alta,
Vi uma estrela tão fria!
Vi uma estrela luzindo
Na minha vida vazia.

Era uma estrela tão alta!
Era uma estrela tão fria!
Era uma estrela sozinha
Luzindo no fim do dia.

Por que da sua distância
Para a minha companhia
Não baixava aquela estrela?
Por que tão alta luzia?

E ouvi-a na sombra funda
Responder que assim fazia
Para dar uma esperança
Mais triste ao fim do meu dia.

Mozart no céu

No dia 5 de dezembro de 1791 Wolfgang Amadeus
[Mozart entrou no céu, como um artista de circo,
[fazendo piruetas extraordinárias sobre
[um mirabolante cavalo branco.

Os anjinhos atônitos diziam: Que foi? Que foi?
Melodias jamais ouvidas voavam nas linhas suplementares
[superiores da pauta.
Um momento se suspendeu a contemplação inefável.
A Virgem beijou-o na testa
E desde então Wolfgang Amadeus Mozart foi o mais
[moço dos anjos.

Canção da Parada do Lucas

Parada do Lucas
– O trem não parou.

Ah, se o trem parasse
Minha alma incendida
Pediria à Noite
Dois seios intactos.

Parada do Lucas
– O trem não parou.

Ah, se o trem parasse
Eu iria aos mangues
Dormir na escureza
Das águas defuntas.

Parada do Lucas
– O trem não parou.

Nada aconteceu
Senão a lembrança
Do crime espantoso
Que o tempo engoliu.

Canção do vento e da minha vida

O vento varria as folhas,
O vento varria os frutos,
O vento varria as flores...
        E a minha vida ficava
        Cada vez mais cheia
        De frutos, de flores, de folhas.

O vento varria as luzes,
O vento varria as músicas,
O vento varria os aromas...
        E a minha vida ficava
        Cada vez mais cheia
        De aromas, de estrelas, de cânticos.

O vento varria os sonhos
E varria as amizades...
O vento varria as mulheres.
        E a minha vida ficava
        Cada vez mais cheia
        De afetos e de mulheres.

O vento varria os meses
E varria os teus sorrisos...
O vento varria tudo!

E a minha vida ficava
Cada vez mais cheia
De tudo.

Rondó do capitão

Bão balalão,
Senhor capitão,
Tirai este peso
Do meu coração.
Não é de tristeza,
Não é de aflição:
É só de esperança,
Senhor capitão!
A leve esperança,
A aérea esperança...
Aérea, pois não!
– Peso mais pesado
Não existe não.
Ah, livrai-me dele,
Senhor capitão!

8 de outubro de 1940

Última canção do beco

Beco que cantei num dístico
Cheio de elipses mentais,
Beco das minhas tristezas,
Das minhas perplexidades
(Mas também dos meus amores,
Dos meus beijos, dos meus sonhos),
Adeus para nunca mais!

Vão demolir esta casa.
Mas meu quarto vai ficar,
Não como forma imperfeita
Neste mundo de aparências:
Vai ficar na eternidade,
Com seus livros, com seus quadros,
Intacto, suspenso no ar!

Beco de sarças de fogo,
De paixões sem amanhãs,
Quanta luz mediterrânea
No esplendor da adolescência
Não recolheu nestas pedras
O orvalho das madrugadas,
A pureza das manhãs!

Beco das minhas tristezas,
Não me envergonhei de ti!
Foste rua de mulheres?
Todas são filhas de Deus!
Dantes foram carmelitas...
E eras só de pobres quando,
Pobre, vim morar aqui.

Lapa – Lapa do Desterro –,
Lapa que tanto pecais!
(Mas quando bate seis horas,
Na primeira voz dos sinos,
Como na voz que anunciava
A conceição de Maria,
Que graças angelicais!)

Nossa Senhora do Carmo,
De lá de cima do altar,
Pede esmolas para os pobres,

– Para mulheres tão tristes,
Para mulheres tão negras,
Que vêm nas portas do templo
De noite se agasalhar.

Beco que nasceste à sombra
De paredes conventuais,
És como a vida, que é santa
Pesar de todas as quedas.
Por isso te amei constante
E canto para dizer-te
Adeus para nunca mais!

25 de março de 1942

Belo belo

Belo belo belo,
Tenho tudo quanto quero.

Tenho o fogo de constelações extintas há milênios.
E o risco brevíssimo – que foi? passou – de tantas
[estrelas cadentes.

A aurora apaga-se,
E eu guardo as mais puras lágrimas da aurora.

O dia vem, e dia adentro
Continuo a possuir o segredo grande da noite.

Belo belo belo,
Tenho tudo quanto quero.

Não quero o êxtase nem os tormentos.
Não quero o que a terra só dá com trabalho.

As dádivas dos anjos são inaproveitáveis:
Os anjos não compreendem os homens.

Não quero amar,
Não quero ser amado.
Não quero combater,
Não quero ser soldado.

– Quero a delícia de poder sentir as coisas mais simples.

Testamento

O que não tenho e desejo
É que melhor me enriquece.
Tive uns dinheiros – perdi-os...
Tive amores – esqueci-os.
Mas no maior desespero
Rezei: ganhei essa prece.

Vi terras da minha terra.
Por outras terras andei.
Mas o que ficou marcado
No meu olhar fatigado,
Foram terras que inventei.

Gosto muito de crianças:
Não tive um filho de meu.
Um filho!... Não foi de jeito...
Mas trago dentro do peito
Meu filho que não nasceu.

Criou-me desde eu menino,
Para arquiteto meu pai.
Foi-se-me um dia a saúde...
Fiz-me arquiteto? Não pude!
Sou poeta menor, perdoai!

Não faço versos de guerra.
Não faço porque não sei.
Mas num torpedo-suicida
Darei de bom grado a vida
Na luta em que não lutei!

25 de janeiro de 1943

Ubiqüidade

Estás em tudo que penso,
Estás em quanto imagino:
Estás no horizonte imenso,
Estás no grão pequenino.

Estás na ovelha que pasce,
Estás no rio que corre:
Estás em tudo que nasce,
Estás em tudo que morre.

Em tudo estás, nem repousas,
Ó ser tão mesmo e diverso!
(Eras no início das cousas,
Serás no fim do universo.)

Estás na alma e nos sentidos.
Estás no espírito, estás
Na letra, e, os tempos cumpridos,
No céu, no céu estarás.

Petrópolis, 11.3.1943

Peregrinação

O córrego é o mesmo.
Mesma, aquela árvore,
A casa, o jardim.

Meus passos a esmo
(Os passos e o espírito)
Vão pelo passado,
Ai tão devastado,
Recolhendo triste
Tudo quanto existe
Ainda ali de mim
– Mim daqueles tempos!

Petrópolis, 12.3.1943

Velha chácara

A casa era por aqui...
Onde? Procuro-a e não acho.
Ouço uma voz que esqueci:
É a voz deste mesmo riacho.

Ah quanto tempo passou!
(Foram mais de cinqüenta anos.)
Tantos que a morte levou!
(E a vida... nos desenganos...)

A usura fez tábua rasa
Da velha chácara triste:
Não existe mais a casa...

– Mas o menino ainda existe.

1944

BELO BELO

Poema só para Jaime Ovalle

Quando hoje acordei, ainda fazia escuro
(Embora a manhã já estivesse avançada).
Chovia.
Chovia uma triste chuva de resignação
Como contraste e consolo ao calor tempestuoso da
[noite.
Então me levantei,
Bebi o café que eu mesmo preparei,
Depois me deitei novamente, acendi um cigarro e fiquei
[pensando...
– Humildemente pensando na vida e nas mulheres
[que amei.

Sextilhas românticas

Paisagens da minha terra,
Onde o rouxinol não canta
– Mas que importa o rouxinol?
Frio, nevoeiros da serra
Quando a manhã se levanta
Toda banhada de sol!

Sou romântico? Concedo.
Exibo, sem evasiva,
A alma ruim que Deus me deu.
Decorei "Amor e medo",

"No lar", "Meus oito anos"... Viva
José Casimiro de Abreu!

Sou assim, por vício inato.
Ainda hoje gosto de *Diva*,
Nem não posso renegar
Peri, tão pouco índio, é fato,
Mas tão brasileiro... Viva,
Viva José de Alencar!

Paisagens da minha terra,
Onde o rouxinol não canta
– Pinhões para o rouxinol!
Frio, nevoeiros da serra
Quando a manhã se levanta
Toda banhada de sol!

Ai tantas lembranças boas!
Massangana de Nabuco!
Muribara de meus pais!
Lagoas das Alagoas,
Rios do meu Pernambuco,
Campos de Minas Gerais!

17 de março de 1945

No vosso e em meu coração

Espanha no coração:
No coração de Neruda,
No vosso e em meu coração.
Espanha da liberdade,
Não a Espanha da opressão
Espanha republicana:

A Espanha de Franco, não!
Velha Espanha de Pelaio,
Do Cid, do Grã-Capitão!
Espanha de honra e verdade,
Não a Espanha da traição!
Espanha de Dom Rodrigo,
Não a do Conde Julião!
Espanha republicana:
A Espanha de Franco, não!
Espanha dos grandes místicos,
Dos santos poetas, de João
Da Cruz, de Teresa de Ávila
E de Frei Luís de Leão!
Espanha da livre crença,
Jamais a da Inquisição!
Espanha de Lope e Góngora,
De Góia e Cervantes, não
A de Felipe Segundo
Nem Fernando, o balandrão!
Espanha que se batia
Contra o corso Napoleão!
Espanha da liberdade:
A Espanha de Franco, não!
Espanha republicana,
Noiva da revolução!
Espanha atual de Picasso,
De Casals, de Lorca, irmão
Assassinado em Granada!
Espanha no coração
De Pablo Neruda, Espanha
No vosso e em meu coração!

A Mário de Andrade ausente

Anunciaram que você morreu.
Meus olhos, meus ouvidos testemunham:
A alma profunda, não.
Por isso não sinto agora a sua falta.

Sei bem que ela virá
(Pela força persuasiva do tempo).
Virá súbito um dia,
Inadvertida para os demais.
Por exemplo assim:
À mesa conversarão de uma coisa e outra,
Uma palavra lançada à toa
Baterá na franja dos lutos de sangue,
Alguém perguntará em que estou pensando,
Sorrirei sem dizer que em você
Profundamente.

Mas agora não sinto a sua falta.

(É sempre assim quando o ausente
Partiu sem se despedir:
Você não se despediu.)

Você não morreu: ausentou-se.
Direi: Faz tempo que ele não escreve.
Irei a São Paulo: você não virá ao meu hotel.
Imaginarei: Está na chacrinha de São Roque.
Saberei que não, você ausentou-se. Para outra vida?
A vida é uma só. A sua continua
Na vida que você viveu.
Por isso não sinto agora a sua falta.

Belo belo

Belo belo minha bela
Tenho tudo que não quero
Não tenho nada que quero
Não quero óculos nem tosse
Nem obrigação de voto
Quero quero
Quero a solidão dos píncaros
A água da fonte escondida
A rosa que floresceu
Sobre a escarpa inaccessível
A luz da primeira estrela
Piscando no lusco-fusco
Quero quero
Quero dar a volta ao mundo
Só num navio de vela
Quero rever Pernambuco
Quero ver Bagdá e Cusco
Quero quero
Quero o moreno de Estela
Quero a brancura de Elisa
Quero a saliva de Bela
Quero as sardas de Adalgisa
Quero quero tanta coisa
Belo belo
Mas basta de lero-lero
Vida noves fora zero.

Petrópolis, fevereiro de 1947

Neologismo

Beijo pouco, falo menos ainda.
Mas invento palavras
Que traduzem a ternura mais funda
E mais cotidiana.
Inventei, por exemplo, o verbo teadorar.
Intransitivo:
Teadoro, Teodora.

Petrópolis, 25 de fevereiro de 1947

A realidade e a imagem

O arranha-céu sobe no ar puro lavado pela chuva
E desce refletido na poça de lama do pátio.
Entre a realidade e a imagem, no chão seco que as separa,
Quatro pombas passeiam.

Poema para Santa Rosa

Pousa na minha a tua mão, protonotária.
O alexandrino, ainda que sem a cesura mediana,
[aborrece-me.
Depois, eu mesmo já escrevi: Pousa a mão na minha
[testa,
E Raimundo Correia: "Pousa aqui, pousa ali, etc."
É Pouso demais. Basta Pouso Alto.
Tão distante e tão presente. Como uma reminiscência
[da infância.

Pousa na minha a tua mão, protonotária.
Gosto de "protonotária".

Me lembra meu pai.
E pinta bem a quem eu quero.
Sei que ela vai perguntar: – O que é protonotária?
Responderei:
– Protonotário é o dignitário da Cúria Romana que
[expede, nas grandes causas, os atos que os simples
[notários apostólicos expedem nas pequenas.
E ela: – Será o Benedito?
– Meu bem, minha ternura é um fato, mas não gosta
[de se mostrar:
É dentuça e dissimulada.
Santa Rosa me compreende.

Pousa na minha a tua mão, protonotária.

O bicho

Vi ontem um bicho
Na imundície do pátio
Catando comida entre os detritos.

Quando achava alguma coisa,
Não examinava nem cheirava:
Engolia com voracidade.

O bicho não era um cão,
Não era um gato,
Não era um rato.

O bicho, meu Deus, era um homem.

Rio, 27 de dezembro de 1947

Nova poética

Vou lançar a teoria do poeta sórdido.
Poeta sórdido:
Aquele em cuja poesia há a marca suja da vida.
Vai um sujeito.
Sai um sujeito de casa com a roupa de brim branco
[muito bem engomada, e na primeira esquina
[passa um caminhão, salpica-lhe o paletó
[ou a calça de uma nódoa de lama:
É a vida.

O poema deve ser como a nódoa no brim:
Fazer o leitor satisfeito de si dar o desespero.

Sei que a poesia é também orvalho.
Mas este fica para as menininhas, as estrelas alfas, as
[virgens cem por cento e as amadas
[que envelheceram sem maldade.

19 de maio de 1949

Unidade

Minh'alma estava naquele instante
Fora de mim longe muito longe

Chegaste
E desde logo foi verão
O verão com as suas palmas os seus mormaços os seus
[ventos de sôfrega mocidade
Debalde os teus afagos insinuavam quebranto e molície
O instinto de penetração já despertado
Era como uma seta de fogo

Foi então que minh'alma veio vindo
Veio vindo de muito longe
Veio vindo
Para de súbito entrar-me violenta e sacudir-me todo
No momento fugaz da unidade.

1948

Arte de amar

Se queres sentir a felicidade de amar, esquece a tua alma,
A alma é que estraga o amor.
Só em Deus ela pode encontrar satisfação.
Não noutra alma.
Só em Deus – ou fora do mundo.

As almas são incomunicáveis.

Deixa o teu corpo entender-se com outro corpo.

Porque os corpos se entendem, mas as almas não.

Infância

Corrida de ciclistas.
Só me recordo de um bambual debruçado no rio.
Três anos?
Foi em Petrópolis.

Procuro mais longe em minhas reminiscências.
Quem me dera me lembrar da teta negra de
[minh'ama-de-leite...
...Meus olhos não conseguem romper os ruços definitivos
[do tempo.

Ainda em Petrópolis... um pátio de hotel... brinquedos
[pelo chão...

Depois a casa de São Paulo.
Miguel Guimarães, alegre, míope e mefistofélico,
Tirando reloginhos de plaquê da concha de minha orelha.
O urubu pousado no muro do quintal.
Fabrico uma trombeta de papel.
Comando...
O urubu obedece.
Fujo, aterrado do meu primeiro gesto de magia.

Depois... a praia de Santos...
Corridas em círculos riscados na areia...
Outra vez Miguel Guimarães, juiz de chegada, com os
[seus presentinhos.

A ratazana enorme apanhada na ratoeira.
Outro bambual...
O que inspirou a meu irmão o seu único poema:

> "Eu ia por um caminho,
> Encontrei um maracatu.
> O qual vinha direitinho
> Pelas flechas de um bambu."

As marés de equinócio,
O jardim submerso...
Meu tio Cláudio erguendo do chão uma ponta de
[mastro destroçado.

Poesia dos naufrágios!

Depois Petrópolis novamente.
Eu, junto do tanque, de linha amarrada no incisivo de
[leite, sem coragem de puxar.

Véspera de Natal... Os chinelinhos atrás da porta...
E a manhã seguinte, na cama, deslumbrado com os
[brinquedos trazidos pela fada.

E a chácara da Gávea?
E a casa da Rua Don'Ana?

Boy, o primeiro cachorro.
Não haveria outro nome depois
(Em casa até as cadelas se chamavam Boy).

Medo de gatunos...
Para mim eram homens com cara de pau.

A volta a Pernambuco!
Descoberta dos casarões de telha-vã.
Meu avô materno – um santo...
Minha avó batalhadora.

A casa da Rua da União.
O pátio – núcleo de poesia.
O banheiro – núcleo de poesia.
O cambrone – núcleo de poesía ("*la fraîcheur des*
[*latrines!*").
A alcova de música – núcleo de mistério.
Tapetinhos de peles de animais.
Ninguém nunca ia lá... Silêncio... Obscuridade...
O piano de armário, teclas amarelecidas, cordas
[desafinadas.

Descoberta da rua!
Os vendedores a domicílio.
Ai mundo dos papagaios de papel, dos piões, da
[amarelinha!

Uma noite a menina me tirou da roda de coelho-sai,
[me levou, imperiosa e ofegante, para um desvão
[da casa de Dona Aninha Viegas,
[levantou a sainha e disse mete.

Depois meu avô... Descoberta da morte!

Com dez anos vim para o Rio.
Conhecia a vida em suas verdades essenciais.
Estava maduro para o sofrimento
E para a poesia!

OPUS 10

Boi morto

Como em turvas águas de enchente,
Me sinto a meio submergido
Entre destroços do presente
Dividido, subdividido,
Onde rola, enorme, o boi morto,

Boi morto, boi morto, boi morto.

Árvores da paisagem calma,
Convosco – altas, tão marginais! –
Fica a alma, a atônita alma,
Atônita para jamais.
Que o corpo, esse vai com o boi morto,

Boi morto, boi morto, boi morto.

Boi morto, boi descomedido,
Boi espantosamente, boi
Morto, sem forma ou sentido
Ou significado. O que foi
Ninguém sabe. Agora é boi morto,

Boi morto, boi morto, boi morto!

Cotovia

– Alô cotovia!
Aonde voaste,
Por onde andaste,
Que tantas saudades me deixaste?

– Andei onde deu o vento.
Onde foi meu pensamento.
Em sítios, que nunca viste,
De um país que não existe...
Voltei, te trouxe a alegria.

– Muito contas, cotovia!
E que outras terras distantes
Visitaste? Dize ao triste.

– Líbia ardente, Cítia fria,
Europa, França, Bahia...

– E esqueceste Pernambuco,
Distraída?

– Voei ao Recife, no Cais
Pousei na Rua da Aurora.

– Aurora da minha vida,
Que os anos não trazem mais!

– Os anos não, nem os dias,
Que isso cabe às cotovias.
Meu bico é bem pequenino
Para o bem que é deste mundo:
Se enche com uma gota de água.
Mas sei torcer o destino,
Sei no espaço de um segundo

Limpar o pesar mais fundo.
Voei ao Recife, e dos longes
Das distâncias, aonde alcança
Só a asa da cotovia,
– Do mais remoto e perempto
Dos teus dias de criança
Te trouxe a extinta esperança,
Trouxe a perdida alegria.

Elegia de verão

O sol é grande. Ó coisas
Todas vãs, todas mudaves!
(Como esse "mudaves",
Que hoje é "mudáveis"
E já não rima com "aves".)

O sol é grande. Zinem as cigarras
Em Laranjeiras.
Zinem as cigarras: zino, zino, zino...
Como se fossem as mesmas
Que eu ouvi menino.

Ó verões de antigamente!
Quando o Largo do Boticário
Ainda poderia ser tombado.
Carambolas ácidas, quentes de mormaço;
Água morna das caixas-d'água vermelha de ferrugem;
Saibro cintilante...

O sol é grande. Mas, ó cigarras que zinis,
Não sois as mesmas que eu ouvi menino.
Sois outras, não me interessais...

Dêem-me as cigarras que eu ouvi menino.

Minha gente salvemos Ouro Preto

As chuvas de verão ameaçaram derruir Ouro Preto.
Ouro Preto, a avozinha, vacila.
Meus amigos, meus inimigos,
Salvemos Ouro Preto.

Bem sei que os monumentos veneráveis
Não correm perigo.
Mas Ouro Preto não é só o Palácio dos Governadores
A Casa dos Contos,
A Casa da Câmara,
Os templos,
Os chafarizes,
Os nobres sobrados da Rua Direita.

Ouro Preto são também os casebres de taipa de sopapo
Agüentando-se uns aos outros ladeira abaixo,
O casario do Vira-Saia,
Que está vira-não-vira enxurro,
E é a isso que precisamos acudir urgentemente!

Meus amigos, meus inimigos,
Salvemos Ouro Preto.

Homens ricos do Brasil
Que dais quinhentos contos por um puro-sangue de [corridas,
Está certo,
Mas dai também dinheiro para Ouro Preto.

Grã-finas cariocas e paulistas
Que pagais dez contos por um modelo de Christian Dior
E meio conto por uma permanente no Baldini,

Está tudo muito certo,
Mas mandai também dez contos para consolidar umas
[quatro casinhas de Ouro Preto.

(Nossa Senhora do Carmo de Ouro Preto vos
[acrescentará...)

Gentes da minha terra!
Em Ouro Preto alvoreceu a nossa vontade de autonomia
[nos sonhos frustrados dos Inconfidentes.
Em Ouro Preto alvoreceu a nossa arte nas igrejas e
[esculturas do Aleijadinho.
Em Ouro Preto alvoreceu a nossa poesia nos versinhos
[do Desembargador.

Minha gente,
Salvemos Ouro Preto.
Meus amigos, meus inimigos,
Salvemos Ouro Preto.

Natal sem sinos

No pátio a noite é sem silêncio.
E que é a noite sem o silêncio?
A noite é sem silêncio e no entanto onde os sinos
Do meu Natal sem sinos?

Ah meninos sinos
De quando eu menino!

Sinos da Boa Vista e de Santo Antônio.
Sinos do Poço, do Monteiro e da igrejinha de Boa Viagem.

Outros sinos
Sinos
Quantos sinos!

No noturno pátio
Sem silêncio, ó sinos
De quando eu menino,
Bimbalhai meninos,
Pelos sinos (sinos
Que não ouço), os sinos de
Santa Luzia.

Rio, 1952

Retrato

O sorriso escasso,
O riso-sorriso,
A risada nunca.
(Como quem consigo
Traz o sentimento
Do madrasto mundo.)

Com os braços colados
Ao longo do corpo,
Vai pela cidade
Grande e cafajeste,
Com o mesmo ar esquivo
Que escolheu nascendo
Na esquiva Itabira.

Aprendeu com ela
Os olhos metálicos
Com que vê as coisas:

Sem ódio, sem ênfase,
Às vezes com náusea.

Ferro de Itabira,
Em cujos recessos
Um vedor, um dia,
Um vedor – o neto –
Descobriu infante
As fundas nascentes,
O veio, o remanso
Da escusa ternura.

Visita

Fui procurar-te à última morada,
Não te encontrei. Apenas encontrei
Lousas brancas e pássaros cantando...
Teu espírito, longe, onde não sei,
Da obra na eternidade assegurada,
Sorri aos amigos, que te estão chorando.

Noturno do Morro do Encanto

Este fundo de hotel é um fim de mundo!
Aqui é o silêncio que tem voz. O encanto
Que deu nome a este morro, põe no fundo
De cada coisa o seu cativo canto.

Ouço o tempo, segundo por segundo,
Urdir a lenta eternidade. Enquanto
Fátima ao pó de estrelas sitibundo
Lança a misericórdia do seu manto.

Teu nome é uma lembrança tão antiga,
Que não tem som nem cor, e eu, miserando,
Não sei mais como o ouvir, nem como o diga.

Falta a morte chegar... Ela me espia
Neste instante talvez, mal suspeitando
Que já morri quando o que eu fui morria.

Petrópolis, 21.2.1953

Os nomes

Duas vezes se morre:
Primeiro na carne, depois no nome.
A carne desaparece, o nome persiste mas
Esvaziando-se de seu casto conteúdo
– Tantos gestos, palavras, silêncios –
Até que um dia sentimos,
Com uma pancada de espanto (ou de remorso?)
Que o nome querido já nos soa como os outros.

Santinha nunca foi para mim o diminutivo de Santa.
Nem Santa nunca foi para mim a mulher sem pecado.
Santinha eram dois olhos míopes, quatro incisivos
[claros à flor da boca.
Era a intuição rápida, o medo de tudo, um certo modo
[de dizer "Meu Deus, valei-me".

Adelaide não foi para mim Adelaide somente
Mas Cabeleira de Berenice, Inominata, Cassiopéia.
Adelaide hoje apenas substantivo próprio feminino.

Os epitáfios também se apagam, bem sei.
Mais lentamente, porém, do que as reminiscências
Na carne, menos inviolável do que a pedra dos túmulos.

Petrópolis, 28.2.1953

Consoada

Quando a Indesejada das gentes chegar
(Não sei se dura ou caroável),
Talvez eu tenha medo.
Talvez sorria, ou diga:
– Alô, iniludível!
O meu dia foi bom, pode a noite descer.
(A noite com os seus sortilégios.)
Encontrará lavrado o campo, a casa limpa,
A mesa posta,
Com cada coisa em seu lugar.

Lua nova

Meu novo quarto
Virado para o nascente:
Meu quarto, de novo a cavaleiro da entrada da barra.

Depois de dez anos de pátio
Volto a tomar conhecimento da aurora.
Volto a banhar meus olhos no mênstruo incruento das
[madrugadas.

Todas as manhãs o aeroporto em frente me dá lições
[de partir:

Hei de aprender com ele
A partir de uma vez
– Sem medo,
Sem remorsos,
Sem saudade.

Não pensem que estou aguardando a lua cheia
– Esse sol da demência
Vaga e noctâmbula.
O que eu mais quero,
O de que preciso
É de lua nova.

Rio, agosto de 1953

Oração para aviadores

Santa Clara, clareai
Estes ares.
Dai-nos ventos regulares,
De feição.
Estes mares, estes ares
Clareai.

Santa Clara, dai-nos sol.
Se baixar a cerração,
Alumiai
Meus olhos na cerração.
Estes montes e horizontes
Clareai.

Santa Clara, no mau tempo
Sustentai
Nossas asas.

A salvo de árvores, casas
E penedos, nossas asas
Governai.

Santa Clara, clareai.
Afastai
Todo risco.
Por amor de S. Francisco,
Vosso mestre, nosso pai,
Santa Clara, todo risco
Dissipai.

Santa Clara, clareai.

Satélite

Fim de tarde.
No céu plúmbleo
A Lua baça
Paira
Muito cosmograficamente
Satélite.

Desmetaforizada,
Desmitificada,
Despojada do velho segredo de melancolia,
Não é agora o golfão de cismas,
O astro dos loucos e dos enamorados,
Mas tão-somente
Satélite.

Ah Lua deste fim de tarde,
Demissionária de atribuições românticas,
Sem *show* para as disponibilidades sentimentais!

Fatigado de mais-valia,
Gosto de ti assim:
Coisa em si,
– Satélite.

Ovalle

Estavas bem mudado
Como se tivesses posto aquelas barbas brancas
Para entrar com maior decoro a Eternidade

Nada de nós te interessava agora
Calavas sereno e grave
Como no fundo foste sempre
Sob as fantasias verbais enormes
Que faziam rir os teus amigos e
Punham bondade no coração dos maus

O padre orava:
– "O coro de todos os anjos te receba..."
Pensei comigo:
Cantando "Estrela brilhante
Lá do alto-mar!..."

Levamos-te cansado ao teu último endereço
Vi com prazer
Que um dia afinal seremos vizinhos
Conversaremos longamente
De sepultura a sepultura
No silêncio das madrugadas
Quando o orvalho pingar sem ruído
E o luar for uma coisa só.

Antônia

Amei Antônia de maneira insensata.
Antônia morava numa casa que para mim não era casa,
[era um empíreo.

Mas os anos foram passando.
Os anos são inexoráveis.
Antônia morreu.
A casa em que Antônia morava foi posta abaixo.
Eu mesmo já não sou aquele que amou Antônia e que
[Antônia não amou.
Aliás, previno, muito humildemente, que isto não é
[crônica nem poema.
É, apenas
Uma nova versão, a mais recente, do tema *ubi sunt*,
Que dedico, ofereço e consagro
A meu dileto amigo Augusto Meyer.

Passeio em São Paulo

Settembre. *Andiamo. È tempo di migrare.*
A rainha, em São Paulo, chama-me.
É agora Maria Cacilda Stuart
E fala com sotaque voluntarioso,
Não paulista nem catarinense:
Acento beckeriano (com ck, não cqu),
Que suscita infartos de alma,
Tão imperativos quanto os de miocárdio.

Saio do hotel com quatro olhos,
– Dois do presente,
Dois do passado.
Anhangabaú que já não é *dos suicídios passionais!*
O Hotel Esplanada virou catacumba.
Enfim a Rua Direita!
A minha Rua Direita:
Que saudades tinha dela!
Ainda existe a Casa Kosmos, mas
Não tem impermeáveis em liquidação.

Praça Antônio Prado, onde
Tudo é novo, salvo aquela meia dúzia de sobradinhos.
Montanha-russa da Avenida São João!
O *anjo cor-de-rosa* não é mais cor-de-rosa:
O tempo patinou-o de negro.

Almoço com Di,
Que hoje é Emiliano di Cavalcanti.

Volto ao hotel pelo Anhangabaú.
Onde as *Juvenilidades auriverdes?* Onde
A passiflora? o espanto? a loucura? o desejo?
Ubi sunt?
Ubi sum?

– Obrigado, Mário, pela tua companhia.

Mascarada

Você me conhece?
(Frase dos mascarados
de antigamente)

– Você me conhece?
– Não conheço não.
– Ah, como fui bela!
Tive grandes olhos,
Que a paixão dos homens
(Estranha paixão!)
Fazia maiores...
Fazia infinitos.
Diz: não me conheces?
– Não conheço não.

– Se eu falava, um mundo
Irreal se abria
À tua visão!
Tu não me escutavas:
Perdido ficavas
Na noite sem fundo
Do que eu te dizia...
Era a minha fala
Canto e persuasão...
Pois não me conheces?
– Não conheço não.

– Choraste em meus braços...
– Não me lembro não.

– Por mim quantas vezes
O sono perdeste
E ciúmes atrozes
Te despedaçaram!

Por mim quantas vezes
Quase tu mataste,
Quase te mataste,
Quase te mataram!
Agora me fitas
E não me conheces?

– Não conheço não.
Conheço é que a vida
É sonho, ilusão.
Conheço é que a vida,
A vida é traição.

Peregrinação

Quando olhada de face, era um abril.
Quando olhada de lado, era um agosto.
Duas mulheres numa: tinha o rosto
Gordo de frente, magro de perfil.

Fazia as sobrancelhas como um til;
A boca, como um o (quase). Isto posto,
Não vou dizer o quanto a amei. Nem gosto
De me lembrar, que são tristezas mil.

Eis senão quando um dia... Mas, caluda!
Não me vai bem fazer uma canção
Desesperada, como fez Neruda.

Amor total e falho... Puro e impuro...
Amor de velho adolescente... E tão
Sabendo a cinza e a pêssego maduro...

Soneto sonhado

Meu tudo, minha amada e minha amiga,
Eis, compendiada toda num soneto,
A minha profissão de fé e afeto,
Que à confissão, posto aos teus pés, me obriga.

O que n'alma guardei de muita antiga
Experiência foi pena e ansiar inquieto.
Gosto pouco do amor ideal objeto
Só, e do amor só carnal não gosto miga.

O que há melhor no amor é a iluminância.
Mas, ai de nós! não vem de nós. Viria
De onde? Dos céus?... Dos longes da distância?...

Não te prometo os estos, a alegria,
A assunção... Mas em toda circunstância
Ser-te-ei sincero como a luz do dia.

Poema do mais triste maio

Meus amigos, meus inimigos,
Saibam todos que o velho bardo
Está agora, entre mil perigos,
Comendo, em vez de rosas, cardo.

Acabou-se a idade das rosas!
Das rosas, dos lírios, dos nardos
E outras espécies olorosas:
É chegado o tempo dos cardos.

E passada a sazão das rosas,
Tudo é vil, tudo é sáfio, árduo.
Nas longas horas dolorosas
Pungem fundo as puas do cardo.

As saudades não me consolam.
Antes ferem-me como dardos.
As companhias me desolam,
E os versos que me vêm, vêm tardos.

Meus amigos, meus inimigos,
Saibam todos que o velho bardo
Está agora, entre mil perigos,
Comendo, em vez de rosas, cardo.

Minha grande ternura

Minha grande ternura
Pelos passarinhos mortos,
Pelas pequeninas aranhas.

Minha grande ternura
Pelas mulheres que foram meninas bonitas
E ficaram mulheres feias;
Pelas mulheres que foram desejáveis
E deixaram de o ser;
Pelas mulheres que me amaram
E que eu não pude amar.

Minha grande ternura
Pelos poemas que
Não consegui realizar.

Minha grande ternura
Pelas amadas que
Envelheceram sem maldade.

Minha grande ternura
Pelas gotas de orvalho que
São o único enfeite
De um túmulo.

Adeus, amor

O amor disse-me adeus, e eu disse: "Adeus,
Amor! Tu fazes bem: a mocidade
Quer a mocidade." Os meus amigos
Me felicitam: "Como estás bem conservado!"
Mas eu sei que no Louvre e outros museus, e até no nosso

Há múmias do velho Egito que estão como eu bem
[conservadas.
Sei mais que posso ainda receber e dar carinhos e ternura.
Mas acho isso pouco, e exijo a iluminância, o inesperado,
O trauma, o magma... Adeus, Amor!
Todavia não estou sozinho. Nunca estive. A vida inteira
Vivi em *tête-à-tête* com uma senhora magra, séria,
Da maior distinção.
E agora até sou seu vizinho.
Tu que me lês adivinhaste ela quem é.
Pois é. Portanto digo: "Adeus, Amor!"
E à venerável minha vizinha:
"Ao teu dispor! Mas olha, vem
Para a nossa entrevista última,
Pela mão da tua divina Senhora
– Nossa Senhora da Boa Morte".

Antologia

A vida
Não vale a pena e a dor de ser vivida.
Os corpos se entendem mas as almas não.
A única coisa a fazer é tocar um tango argentino.

Vou-me embora p'ra Pasárgada!
Aqui eu não sou feliz.
Quero esquecer tudo:
– A dor de ser homem...
Este anseio infinito e vão
De possuir o que me possui.

Quero descansar
Humildemente pensando na vida e nas mulheres que amei...
Na vida inteira que podia ter sido e que não foi.

Quero descansar.
Morrer.
Morrer de corpo e alma.
Completamente.
(Todas as manhãs o aeroporto em frente me dá lições
[de partir.)

Quando a Indesejada das gentes chegar
Encontrará lavrado o campo, a casa limpa.
A mesa posta,
Com cada coisa em seu lugar.

Rio, 1965

A onda

A O N D A
a onda anda
aonde anda
a onda?
a onda ainda
ainda onda
ainda anda
aonde?
aonde?
a onda a onda

PREPARAÇÃO PARA A MORTE

Preparação para a morte

A vida é um milagre.
Cada flor,
Com sua forma, sua cor, seu aroma,
Cada flor é um milagre.
Cada pássaro,
Com sua plumagem, seu vôo, seu canto,
Cada pássaro é um milagre.
O espaço, infinito,
O espaço é um milagre.
O tempo, infinito,
O tempo é um milagre.
A memória é um milagre.
A consciência é um milagre.
Tudo é milagre.
Tudo, menos a morte.
– Bendita a morte, que é o fim de todos os milagres.

Canção para a minha morte

Bem que filho do Norte
Não sou bravo nem forte.
Mas, como a vida amei
Quero te amar, ó morte,
– Minha morte, pesar
Que não te escolherei.

Do amor tive na vida
Quanto amor pode dar:
Amei não sendo amado,

E sendo amado, amei.
Morte, em ti quero agora
Esquecer que na vida
Não fiz senão amar.

Sei que é grande maçada
Morrer mas morrerei
– Quando fores servida –
Sem maiores saudades
Desta madrasta vida,
Que, todavia, amei.

O crucifixo

É um crucifixo de marfim
Ligeiramente amarelado,
Pátina do tempo escoado.
Sempre o vi patinado assim.

Mãe, irmã, pai meus estreitado
Tiveram-no ao chegar o fim.
Hoje, em meu quarto colocado,
Ei-lo velando sobre mim.

E quando se cumprir aquele
Instante, que tardando vai,
De eu deixar esta vida, quero

Morrer agarrado com ele.
Talvez me salve. Como – espero –
Minha mãe, minha irmã, meu pai.

Teresópolis, março de 1966

Sacha

Sacha muchacha,
Nariz de bolacha!

(Meu estro não acha
Outra rima em acha.
Por isso se agacha,
Se cobre de graxa,
Se arranha, se racha,
Se desatarracha
E pede em voz baixa
Desculpas a Sacha.)

Keats

A thing of beauty is a joy
For ever, Keats exprimiu.
Mas ele próprio sentiu
Quanto essa alegria dói.

Manuel bandeira

Manuel Bandeira
(Sousa Bandeira.

O nome inteiro
Tinha Carneiro.)

Eu me interrogo:
– Manuel Bandeira,
Quanta besteira!
Olha uma cousa:
Por que não ousa
Assinar logo
Manuel de Sousa?

Auto-retrato

Provinciano que nunca soube
Escolher bem uma gravata;
Pernambucano a quem repugna
A faca do pernambucano;
Poeta ruim que na arte da prosa
Envelheceu na infância da arte,
E até mesmo escrevendo crônicas
Ficou cronista de província;
Arquiteto falhado, músico
Falhado (engoliu um dia
Um piano, mas o teclado
Ficou de fora); sem família,
Religião ou filosofia;
Mal tendo a inquietação de espírito
Que vem do sobrenatural,
E em matéria de profissão
Um tísico profissional.

Sapo-cururu

Sapo-cururu
Da beira do rio.
Oh que sapo gordo!
Oh que sapo feio!

Sapo-cururu
Da beira do rio.
Quando o sapo coaxa,
Povoléu tem frio.

Que sapo mais danado,
Ó maninha, ó maninha!
Sapo-cururu é o bicho
Pra comer de sobreposse.

Sapo-cururu
Da barriga inchada.
Vôte! Brinca com ele...
Sapo-cururu é senador da República.

Casa-Grande & Senzala

Casa-Grande & Senzala
Grande livro que fala
Desta nossa leseira
        Brasileira.

Mas com aquele forte
Cheiro e sabor do Norte
– Dos engenhos de cana
        (Massangana!)

Com fuxicos danados
E chamegos safados
De mulecas fulôs
          Com sinhôs!

A mania ariana
Do Oliveira Viana
Leva aqui a sua lambada
          Bem puxada

Se nos brasis abunda
Jenipapo na bunda,
Se somos todos uns
          Octoruns,

Que importa? É lá desgraça?
Essa história de raça,
Raças más, raças boas
          – Diz o Boas –

É coisa que passou
com o franciú Gobineau.
Pois o mal do mestiço
          Não está nisso.

Está em causas sociais,
De higiene e outras que tais:
Assim pensa, assim fala
          Casa-Grande & Senzala.

Livro que à ciência alia
A profunda poesia
Que o passado revoca
          E nos toca

A alma de brasileiro
Que o portuga femeeiro
Fez e o mau fado quis
        Infeliz!

Itaperuna

Primeiro houve entradas para pegar índio
Entradas para descobrir o ouro
Agora há entradas para plantar café

Um dia trouxeram da Martinica um soldadinho verde
O soldadinho juntou-se com a mulata roxa
E nasceu um exército de soldadinhos verdes
Os batalhões alinharam-se
    Marcha soldado
    Pé de café
E tomaram de assalto as baixadas as lombas as faldas e
                    [os contrafortes até o planalto.
Do meio deles
De Estrela boa estrela
Saiu o maior soldado brasileiro

Onde acampavam
Havia riqueza
Solares trapiches
Resendes Valenças Vassouras
Estradas reais calçadas com pedra
Os Tijucos do café
Com linhagens de barões estadistas que formaram
            [gabinetes e deram lustre ao segundo reinado

Mas o amor do soldado derreia a mulata
O mau goza se satisfaz e

Marcha soldado
Pé de café!
Soldado gosta de mulher nova
Araçatubas de peito duro
Itaperunas de mamilo preto

Itaperuna!
Ponta de trilho da civilização cafeeira
Criação republicana e brasileira
Único município que não aderiu
Porque era republicano antes da República!

Ora esta eu agora me esqueci que não sou republicano
Ponhamos Itaperuna exceção republicana.
Desta república de paulistas baianos, paulistas
[pernambucanos e paulistas de Macaé!
Marcha soldado
Pé de café!
(Qual onda verde nada!
Batalhão é que é)
Batalhão de república militarista

Itaperuna exceção republicana
Itaperuna pacífica das pequenas propriedades
Das quatro mil oitocentas e seis pequenas propriedades
[registradas
Com os seus cinqüenta e dois milhares de cafeeiros
A sua futura safra de um milhão e setecentas mil arrobas

Terra de José de Lannes
Bandeirante sem crimes na consciência
Itaperuna sem Rio das Mortes nem Mata da Traição
(Exceção republicana!)
Vértice do triângulo Itaperuna Araçatuba Paranapanema
Onde estão acampados os batalhões do café.

Marcha soldado
Pé de café
Se não marchar direito
O Brasil não fica em pé.

Portugal, meu avozinho

Como foi que temperaste,
Portugal, meu avozinho,
Esse gosto misturado
De saudade e de carinho?

Esse gosto misturado
De pele branca e trigueira,
– Gosto de África e de Europa,
Que é o da gente brasileira?

Gosto de samba e de fado,
Portugal, meu avozinho.
Ai Portugal que ensinaste
Ao Brasil o teu carinho!

Tu de um lado, e do outro lado
Nós... No meio o mar profundo...
Mas, por mais fundo que seja,
Somos os dois um só mundo.

Grande mundo de ternura,
Feito de três continentes...
Ai, mundo de Portugal,
Gente mãe de tantas gentes!

Ai, Portugal, de Camões,
Do bom trigo e do bom vinho,

Que nos deste, ai avozinho,
Este gosto misturado,
Que é saudade e que é carinho!

Improviso

Glória aos poetas de Portugal.
Glória a D. Dinis. Glória a Gil
Vicente. Glória a Camões. Glória
a Bocage, a Garrett, a João
de Deus (mas todos são de Deus,
e há um santo; Antero de Quental).
Glória a Junqueiro. Glória ao sempre
Verde Cesário. Glória a Antônio
Nobre. Glória a Eugênio de Castro.
A Pessoa e seus heterônimos.
A Camilo Pessanha. Glória
a tantos mais, a todos mais.
– Glória a Teixeira de Pascoais.

À MANEIRA DE...

... Alberto de Oliveira

Esse que em moço ao Velho Continente
Entrou de rosto erguido e descoberto,
E ascendeu em balão e, mão tenente,
Foi quem primeiro o sol viu mais de perto;

Águia da Torre Eiffel, da Itu contente
Rebento mais ilustre e mais diserto,
É o florão que nos falta (e não no tente
Glória maior), Santos Dumont Alberto!

Ah que antes de morrer, como soldado
Que malferido da refrega a poeira
Beija do chão natal, me fora dado

Vê-lo (tal Febo esplende e é luz e é dia)
Na que chamais de Letras Brasileira,
Ou melhor nome tenha, Academia.

... Augusto Frederico Schmidt

I

Daqui a trezentos anos
Não existirei mais.

Outros amarão e serão amados,
Outros terão livrarias católicas,
Outros escreverão no suplemento de domingo dos jornais:
Eu não existirei mais.

Seja, não importa, Senhor!
Sou um pobre gordo.
Mas sei que eles também não serão felizes.

Eu sim, o serei então.
Quando debaixo da terra, magro, magro, só ossos,
Não existir mais.

II

Há muito o meu coração está seco,
Há muito a tristeza do abandono,
A desolação das coisas práticas
Entrou em mim, me diminuindo.

Porém de repente será talvez a contemplação
De um céu noturno como mais belo não vi,
Com estrelas de um brilho incrível,
De uma pureza incalculável, incrível.

A poesia voltará de novo ao meu coração
Como a chuva caindo na terra queimada.
Como o sol clareando a tristeza das cidades,
Das ruas, dos quintais, dos tristes e dos doentes.

A poesia voltará de novo, única solução para mim,
Única solução para o peso dos meus desenganos,
Depois de todas as soluções terem falhado:
O amor, os seguros, a água, a borracha.

A poesia voltará de novo, consoladora e boa,
Com uma frescura de mãos santas de virgem,
Com uma bondade de heroísmos terríveis,
Com uma violência de convicções inabaláveis.

Verei fugir todas as minhas amargas queixas de repente.
Tudo me parecerá de novo exato, sólido, reto,
A poesia restabelecerá em mim o equilíbrio perdido.
A poesia cairá em mim como um raio.

Índice de títulos e primeiros versos

As entradas em itálico referem-se ao títulos dos poemas. Siglas: CH = *A cinza das horas*; CA = *Carnaval*; RD = *O ritmo dissoluto*; LI = *Libertinagem*; EM = *Estrela da Manhã*; LC = *Lira dos Cinqüent'Anos*; BB = *Belo belo*; OP = *Opus 10*; ET = *Estrela da tarde*; MM = *Mafuá do Malungo*.

Coleção **L&PM** POCKET

1. **Catálogo geral da Coleção**
2. **Poesias** – Fernando Pessoa
3. **O livro dos sonetos** – org. Sergio Faraco
4. **Hamlet** – Shakespeare / trad. Millôr
5. **Isadora, frag. autobiográficos** – Isadora Duncan
6. **Histórias sicilianas** – G. Lampedusa
7. **O relato de Arthur Gordon Pym** – Edgar A. Poe
8. **A mulher mais linda da cidade** – Bukowski
9. **O fim de Montezuma** – Hernan Cortez
10. **A ninfomania** – D. T. Bienville
11. **As aventuras de Robinson Crusoé** – D. Defoe
12. **Histórias de amor** – A. Bioy Casares
13. **Armadilha mortal** – Roberto Arlt
14. **Contos de fantasmas** – Daniel Defoe
15. **Os pintores cubistas** – G. Apollinaire
16. **A morte de Ivan Ilitch** – L.Tolstói
17. **A desobediência civil** – D. H. Thoreau
18. **Liberdade, liberdade** – F. Rangel e M. Fernandes
19. **Cem sonetos de amor** – Pablo Neruda
20. **Mulheres** – Eduardo Galeano
21. **Cartas a Théo** – Van Gogh
22. **Don Juan** – Molière / Trad. Millôr Fernandes
24. **Horla** – Guy de Maupassant
25. **O caso de Charles Dexter Ward** – Lovecraft
26. **Vathek** – William Beckford
27. **Hai-Kais** – Millôr Fernandes
28. **Adeus, minha adorada** – Raymond Chandler
29. **Cartas portuguesas** – Mariana Alcoforado
30. **A mensageira das violetas** – Florbela Espanca
31. **Espumas flutuantes** – Castro Alves
32. **Dom Casmurro** – Machado de Assis
34. **Alves & Cia.** – Eça de Queiroz
35. **Uma temporada no inferno** – A. Rimbaud
36. **A corresp. de Fradique Mendes** – Eça de Queiroz
38. **Antologia poética** – Olavo Bilac
39. **O rei Lear** – Shakespeare
40. **Memórias póstumas de Brás Cubas** – M. de Assis
41. **Que loucura!** – Woody Allen
42. **O duelo** – Casanova
44. **Gentidades** – Darcy Ribeiro
45. **Mem. de um Sarg. de Milícias** – M. A. de Almeida
46. **Os escravos** – Castro Alves
47. **O desejo pego pelo rabo** – Pablo Picasso
48. **Os inimigos** – Máximo Gorki
49. **O colar de veludo** – Alexandre Dumas
50. **Livro dos bichos** – Vários
51. **Quincas Borba** – Machado de Assis
53. **O exército de um homem só** – Moacyr Scliar
54. **Frankenstein** – Mary Shelley
55. **Dom Segundo Sombra** – Ricardo Güiraldes
56. **De vagões e vagabundos** – Jack London
57. **O homem bicentenário** – Isaac Asimov
58. **A viuvinha** – José de Alencar
59. **Livro das cortesãs** – org. de Sergio Faraco
60. **Últimos poemas** – Pablo Neruda
61. **A moreninha** – Joaquim Manuel de Macedo
62. **Cinco minutos** – José de Alencar
63. **Saber envelhecer e a amizade** – Cícero
64. **Enquanto a noite não chega** – J. Guimarães
65. **Tufão** – Joseph Conrad
66. **Aurélia** – Gérard de Nerval
67. **I-Juca-Pirama** – Gonçalves Dias
68. **Fábulas** – Esopo
69. **Teresa Filósofa** – Anônimo do Séc. XVIII
70. **Avent. inéditas de Sherlock Holmes** – A. C. Doyle
71. **Quintana de bolso** – Mario Quintana
72. **Antes e depois** – Paul Gauguin
73. **A morte de Olivier Bécaille** – Émile Zola
74. **Iracema** – José de Alencar
75. **Iaiá Garcia** – Machado de Assis
76. **Utopia** – Tomás Morus
77. **Sonetos para amar o amor** – Camões
78. **Carmem** – Prosper Mérimée
79. **Senhora** – José de Alencar
80. **Hagar, o horrível 1** – Dik Browne
81. **O coração das trevas** – Joseph Conrad
82. **Um estudo em vermelho** – Arthur Conan Doyle
83. **Todos os sonetos** – Augusto dos Anjos
84. **A propriedade é um roubo** – P.-J. Proudhon
85. **Drácula** – Bram Stoker
86. **O marido complacente** – Sade
87. **De profundis** – Oscar Wilde
88. **Sem plumas** – Woody Allen
89. **Os bruzundangas** – Lima Barreto
90. **O cão dos Baskervilles** – Arthur Conan Doyle
91. **Paraísos artificiais** – Charles Baudelaire
92. **Cândido, ou o otimismo** – Voltaire
93. **Triste fim de Policarpo Quaresma** – Lima Barreto
94. **Amor de perdição** – Camilo Castelo Branco
95. **A megera domada** – Shakespeare / trad. Millôr
96. **O mulato** – Aluísio Azevedo
97. **O alienista** – Machado de Assis
98. **O livro dos sonhos** – Jack Kerouac
99. **Noite na taverna** – Álvares de Azevedo
100. **Aura** – Carlos Fuentes
102. **Contos gauchescos e Lendas do sul** – Simões Lopes Neto
103. **O cortiço** – Aluísio Azevedo
104. **Marília de Dirceu** – T. A. Gonzaga
105. **O Primo Basílio** – Eça de Queiroz
106. **O ateneu** – Raul Pompéia
107. **Um escândalo na Boêmia** – Arthur Conan Doyle
108. **Contos** – Machado de Assis
109. **200 Sonetos** – Luis Vaz de Camões
110. **O príncipe** – Maquiavel
111. **A escrava Isaura** – Bernardo Guimarães
112. **O solteirão nobre** – Conan Doyle
114. **Shakespeare de A a Z** – Shakespeare
115. **A relíquia** – Eça de Queiroz
117. **Livro do corpo** – Vários
118. **Lira dos 20 anos** – Álvares de Azevedo
119. **Esaú e Jacó** – Machado de Assis
120. **A barcarola** – Pablo Neruda
121. **Os conquistadores** – Júlio Verne
122. **Contos breves** – G. Apollinaire
123. **Taipi** – Herman Melville

124.**Livro dos desaforos** – org. de Sergio Faraco
125.**A mão e a luva** – Machado de Assis
126.**Doutor Miragem** – Moacyr Scliar
127.**O penitente** – Isaac B. Singer
128.**Diários da descoberta da América** – C.Colombo
129.**Édipo Rei** – Sófocles
130.**Romeu e Julieta** – Shakespeare
131.**Hollywood** – Charles Bukowski
132.**Billy the Kid** – Pat Garrett
133.**Cuca fundida** – Woody Allen
134.**O jogador** – Dostoiévski
135.**O livro da selva** – Rudyard Kipling
136.**O vale do terror** – Arthur Conan Doyle
137.**Dançar tango em Porto Alegre** – S. Faraco
138.**O gaúcho** – Carlos Reverbel
139.**A volta ao mundo em oitenta dias** – J. Verne
140.**O livro dos esnobes** – W. M. Thackeray
141.**Amor & morte em Poodle Springs** – Raymond Chandler & R. Parker
142.**As aventuras de David Balfour** – Stevenson
143.**Alice no país das maravilhas** – Lewis Carroll
144.**A ressurreição** – Machado de Assis
145.**Inimigos, uma história de amor** – I. Singer
146.**O Guarani** – José de Alencar
147.**A cidade e as serras** – Eça de Queiroz
148.**Eu e outras poesias** – Augusto dos Anjos
149.**A mulher de trinta anos** – Balzac
150.**Pomba enamorada** – Lygia F. Telles
151.**Contos fluminenses** – Machado de Assis
152.**Antes de Adão** – Jack London
153.**Intervalo amoroso** – A.Romano de Sant'Anna
154.**Memorial de Aires** – Machado de Assis
155.**Naufrágios e comentários** – Cabeza de Vaca
156.**Ubirajara** – José de Alencar
157.**Textos anarquistas** – Bakunin
159.**Amor de salvação** – Camilo Castelo Branco
160.**O gaúcho** – José de Alencar
161.**O livro das maravilhas** – Marco Polo
162.**Inocência** – Visconde de Taunay
163.**Helena** – Machado de Assis
164.**Uma estação de amor** – Horácio Quiroga
165.**Poesia reunida** – Martha Medeiros
166.**Memórias de Sherlock Holmes** – Conan Doyle
167.**A vida de Mozart** – Stendhal
168.**O primeiro terço** – Neal Cassady
169.**O mandarim** – Eça de Queiroz
170.**Um espinho de marfim** – Marina Colasanti
171.**A ilustre Casa de Ramires** – Eça de Queiroz
172.**Lucíola** – José de Alencar
173.**Antígona** – Sófocles – trad. Donaldo Schüler
174.**Otelo** – William Shakespeare
175.**Antologia** – Gregório de Matos
176.**A liberdade de imprensa** – Karl Marx
177.**Casa de pensão** – Aluísio Azevedo
178.**São Manuel Bueno, Mártir** – Unamuno
179.**Primaveras** – Casimiro de Abreu
180.**O noviço** – Martins Pena
181.**O sertanejo** – José de Alencar
182.**Eurico, o presbítero** – Alexandre Herculano
183.**O signo dos quatro** – Conan Doyle
184.**Sete anos no Tibet** – Heinrich Harrer
185.**Vagamundo** – Eduardo Galeano
186.**De repente acidentes** – Carl Solomon
187.**As minas de Salomão** – Rider Haggar
188.**Uivo** – Allen Ginsberg
189.**A ciclista solitária** – Conan Doyle
190.**Os seis bustos de Napoleão** – Conan Doyle
191.**Cortejo do divino** – Nelida Piñon
194.**Os crimes do amor** – Marquês de Sade
195.**Besame Mucho** – Mário Prata
196.**Tuareg** – Alberto Vázquez-Figueroa
197.**O longo adeus** – Raymond Chandler
199.**Notas de um velho safado** – C. Bukowski
200.**111 ais** – Dalton Trevisan
201.**O nariz** – Nicolai Gogol
202.**O capote** – Nicolai Gogol
203.**Macbeth** – William Shakespeare
204.**Heráclito** – Donaldo Schüler
205.**Você deve desistir, Osvaldo** – Cyro Martins
206.**Memórias de Garibaldi** – A. Dumas
207.**A arte da guerra** – Sun Tzu
208.**Fragmentos** – Caio Fernando Abreu
209.**Festa no castelo** – Moacyr Scliar
210.**O grande deflorador** – Dalton Trevisan
212.**Homem do princípio ao fim** – Millôr Fernandes
213.**Aline e seus dois namorados (1)** – A. Iturrusgarai
214.**A juba do leão** – Sir Arthur Conan Doyle
215.**Assassino metido a esperto** – R. Chandler
216.**Confissões de um comedor de ópio** – T.De Quincey
217.**Os sofrimentos do jovem Werther** – Goethe
218.**Fedra** – Racine / Trad. Millôr Fernandes
219.**O vampiro de Sussex** – Conan Doyle
220.**Sonho de uma noite de verão** – Shakespeare
221.**Dias e noites de amor e de guerra** – Galeano
222.**O Profeta** – Khalil Gibran
223.**Flávia, cabeça, tronco e membros** – M. Fernandes
224.**Guia da ópera** – Jeanne Suhamy
225.**Macário** – Álvares de Azevedo
226.**Etiqueta na prática** – Celia Ribeiro
227.**Manifesto do partido comunista** – Marx & Engels
228.**Poemas** – Millôr Fernandes
229.**Um inimigo do povo** – Henrik Ibsen
230.**O paraíso destruído** – Frei B. de las Casas
231.**O gato no escuro** – Josué Guimarães
232.**O mágico de Oz** – L. Frank Baum
233.**Armas no Cyrano's** – Raymond Chandler
234.**Max e os felinos** – Moacyr Scliar
235.**Nos céus de Paris** – Alcy Cheuiche
236.**Os bandoleiros** – Schiller
237.**A primeira coisa que eu botei na boca** – Deonísio da Silva
238.**As aventuras de Simbad, o marújo**
239.**O retrato de Dorian Gray** – Oscar Wilde
240.**A carteira de meu tio** – J. Manuel de Macedo
241.**A luneta mágica** – J. Manuel de Macedo
242.**A metamorfose** – Kafka
243.**A flecha de ouro** – Joseph Conrad
244.**A ilha do tesouro** – R. L. Stevenson
245.**Marx - Vida & Obra** – José A. Giannotti
246.**Gênesis**
247.**Unidos para sempre** – Ruth Rendell
248.**A arte de amar** – Ovídio
249.**O sono eterno** – Raymond Chandler
250.**Novas receitas do Anonymus Gourmet** – J.A.P.M.

251.**A nova catacumba** – Arthur Conan Doyle
252.**Dr. Negro** – Arthur Conan Doyle
253.**Os voluntários** – Moacyr Scliar
254.**A bela adormecida** – Irmãos Grimm
255.**O príncipe sapo** – Irmãos Grimm
256.**Confissões** *e* **Memórias** – H. Heine
257.**Viva o Alegrete** – Sergio Faraco
258.**Vou estar esperando** – R. Chandler
259.**A senhora Beate e seu filho** – Schnitzler
260.**O ovo apunhalado** – Caio Fernando Abreu
261.**O ciclo das águas** – Moacyr Scliar
262.**Millôr Definitivo** – Millôr Fernandes
264.**Viagem ao centro da Terra** – Júlio Verne
265.**A dama do lago** – Raymond Chandler
266.**Caninos brancos** – Jack London
267.**O médico e o monstro** – R. L. Stevenson
268.**A tempestade** – William Shakespeare
269.**Assassinatos na rua Morgue** – E. Allan Poe
270.**99 corruíras nanicas** – Dalton Trevisan
271.**Broquéis** – Cruz e Sousa
272.**Mês de cães danados** – Moacyr Scliar
273.**Anarquistas – vol. 1 – A idéia** – G. Woodcock
274.**Anarquistas – vol. 2 – O movimento** – G. Woodcock
275.**Pai e filho, filho e pai** – Moacyr Scliar
276.**As aventuras de Tom Sawyer** – Mark Twain
277.**Muito barulho por nada** – W. Shakespeare
278.**Elogio da loucura** – Erasmo
279.**Autobiografia de Alice B. Toklas** – G. Stein
280.**O chamado da floresta** – J. London
281.**Uma agulha para o diabo** – Ruth Rendell
282.**Verdes vales do fim do mundo** – A. Bivar
283.**Ovelhas negras** – Caio Fernando Abreu
284.**O fantasma de Canterville** – O. Wilde
285.**Receitas de Yayá Ribeiro** – Celia Ribeiro
286.**A galinha degolada** – H. Quiroga
287.**O último adeus de Sherlock Holmes** – A. Conan Doyle
288.**A. Gourmet** *em* **Histórias de cama & mesa** – J. A. Pinheiro Machado
289.**Topless** – Martha Medeiros
290.**Mais receitas do Anonymus Gourmet** – J. A. Pinheiro Machado
291.**Origens do discurso democrático** – D. Schüler
292.**Humor politicamente incorreto** – Nani
293.**O teatro do bem e do mal** – E. Galeano
294.**Garibaldi & Manoela** – J. Guimarães
295.**10 dias que abalaram o mundo** – John Reed
296.**Numa fria** – Charles Bukowski
297.**Poesia de Florbela Espanca** vol. 1
298.**Poesia de Florbela Espanca** vol. 2
299.**Escreva certo** – E. Oliveira e M. E. Bernd
300.**O vermelho e o negro** – Stendhal
301.**Ecce homo** – Friedrich Nietzsche
302(7).**Comer bem, sem culpa** – Dr. Fernando Lucchese, A. Gourmet e Iotti
303.**O livro de Cesário Verde** – Cesário Verde
305.**100 receitas de macarrão** – S. Lancellotti
306.**160 receitas de molhos** – S. Lancellotti
307.**100 receitas light** – H. e Â. Tonetto
308.**100 receitas de sobremesas** – Celia Ribeiro
309.**Mais de 100 dicas de churrasco** – Leon Diziekaniak
310.**100 receitas de acompanhamentos** – C. Cabeda
311.**Honra ou vendetta** – S. Lancellotti
312.**A alma do homem sob o socialismo** – Oscar Wilde
313.**Tudo sobre Yôga** – Mestre De Rose
314.**Os varões assinalados** – Tabajara Ruas
315.**Édipo em Colono** – Sófocles
316.**Lisístrata** – Aristófanes / trad. Millôr
317.**Sonhos de Bunker Hill** – John Fante
318.**Os deuses de Raquel** – Moacyr Scliar
319.**O colosso de Marússia** – Henry Miller
320.**As eruditas** – Molière / trad. Millôr
321.**Radicci 1** – Iotti
322.**Os Sete contra Tebas** – Ésquilo
323.**Brasil Terra à vista** – Eduardo Bueno
324.**Radicci 2** – Iotti
325.**Júlio César** – William Shakespeare
326.**A carta de Pero Vaz de Caminha**
327.**Cozinha Clássica** – Sílvio Lancellotti
328.**Madame Bovary** – Gustave Flaubert
329.**Dicionário do viajante insólito** – M. Scliar
330.**O capitão saiu para o almoço...** – Bukowski
331.**A carta roubada** – Edgar Allan Poe
332.**É tarde para saber** – Josué Guimarães
333.**O livro de bolso da Astrologia** – Maggy Harrisonx e Mellina Li
334.**1933 foi um ano ruim** – John Fante
335.**100 receitas de arroz** – Aninha Comas
336.**Guia prático do Português correto – vol. 1** – Cláudio Moreno
337.**Bartleby, o escriturário** – H. Melville
338.**Enterrem meu coração na curva do rio** – Dee Brown
339.**Um conto de Natal** – Charles Dickens
340.**Cozinha sem segredos** – J. A. P. Machado
341.**A dama das Camélias** – A. Dumas Filho
342.**Alimentação saudável** – H. e Â. Tonetto
343.**Continhos galantes** – Dalton Trevisan
344.**A Divina Comédia** – Dante Alighieri
345.**A Dupla Sertanojo** – Santiago
346.**Cavalos do amanhecer** – Mario Arregui
347.**Biografia de Vincent van Gogh por sua cunhada** – Jo van Gogh-Bonger
348.**Radicci 3** – Iotti
349.**Nada de novo no front** – E. M. Remarque
350.**A hora dos assassinos** – Henry Miller
351.**Flush - Memórias de um cão** – Virginia Woolf
352.**A guerra no Bom Fim** – M. Scliar
353(1).**O caso Saint-Fiacre** – Simenon
354(2).**Morte na alta sociedade** – Simenon
355(3).**O cão amarelo** – Simenon
356(4).**Maigret e o homem do banco** – Simenon
357.**As uvas e o vento** – Pablo Neruda
358.**On the road** – Jack Kerouac
359.**O coração amarelo** – Pablo Neruda
360.**Livro das perguntas** – Pablo Neruda
361.**Noite de Reis** – William Shakespeare
362.**Manual de Ecologia** – vol.1 – J. Lutzenberger
363.**O mais longo dos dias** – Cornelius Ryan
364.**Foi bom prá você?** – Nani
365.**Crepusculário** – Pablo Neruda
366.**A comédia dos erros** – Shakespeare
367(5).**A primeira investigação de Maigret** – Simenon

368(6).**As férias de Maigret** – Simenon
369.**Mate-me por favor (vol.1)** – L. McNeil
370.**Mate-me por favor (vol.2)** – L. McNeil
371.**Carta ao pai** – Kafka
372.**Os vagabundos iluminados** – J. Kerouac
373(7).**O enforcado** – Simenon
374(8).**A fúria de Maigret** – Simenon
375.**Vargas, uma biografia política** – H. Silva
376.**Poesia reunida (vol.1)** – A. R. de Sant'Anna
377.**Poesia reunida (vol.2)** – A. R. de Sant'Anna
378.**Alice no país do espelho** – Lewis Carroll
379.**Residência na Terra 1** – Pablo Neruda
380.**Residência na Terra 2** – Pablo Neruda
381.**Terceira Residência** – Pablo Neruda
382.**O delírio amoroso** – Bocage
383.**Futebol ao sol e à sombra** – E. Galeano
384(9).**O porto das brumas** – Simenon
385(10).**Maigret e seu morto** – Simenon
386.**Radicci 4** – Iotti
387.**Boas maneiras & sucesso nos negócios** – Celia Ribeiro
388.**Uma história Farroupilha** – M. Scliar
389.**Na mesa ninguém envelhece** – J. A. P. Machado
390.**200 receitas inéditas do Anonymus Gourmet** – J. A. Pinheiro Machado
391.**Guia prático do Português correto – vol.2** – Cláudio Moreno
392.**Breviário das terras do Brasil** – Assis Brasil
393.**Cantos Cerimoniais** – Pablo Neruda
394.**Jardim de Inverno** – Pablo Neruda
395.**Antonio e Cleópatra** – William Shakespeare
396.**Tróia** – Cláudio Moreno
397.**Meu tio matou um cara** – Jorge Furtado
398.**O anatomista** – Federico Andahazi
399.**As viagens de Gulliver** – Jonathan Swift
400.**Dom Quixote** – (v. 1) – Miguel de Cervantes
401.**Dom Quixote** – (v. 2) – Miguel de Cervantes
402.**Sozinho no Pólo Norte** – Thomaz Brandolin
403.**Matadouro 5** – Kurt Vonnegut
404.**Delta de Vênus** – Anaïs Nin
405.**O melhor de Hagar 2** – Dik Browne
406.**É grave Doutor?** – Nani
407.**Orai pornô** – Nani
408(11).**Maigret em Nova York** – Simenon
409(12).**O assassino sem rosto** – Simenon
410(13).**O mistério das jóias roubadas** – Simenon
411.**A irmãzinha** – Raymond Chandler
412.**Três contos** – Gustave Flaubert
413.**De ratos e homens** – John Steinbeck
414.**Lazarilho de Tormes** – Anônimo do séc. XVI
415.**Triângulo das águas** – Caio Fernando Abreu
416.**100 receitas de carnes** – Sílvio Lancellotti
417.**Histórias de robôs:** vol. 1 – org. Isaac Asimov
418.**Histórias de robôs:** vol. 2 – org. Isaac Asimov
419.**Histórias de robôs:** vol. 3 – org. Isaac Asimov
420.**O país dos centauros** – Tabajara Ruas
421.**A república de Anita** – Tabajara Ruas
422.**A carga dos lanceiros** – Tabajara Ruas
423.**Um amigo de Kafka** – Isaac Singer
424.**As alegres matronas de Windsor** – Shakespeare
425.**Amor e exílio** – Isaac Bashevis Singer
426.**Use & abuse do seu signo** – Marília Fiorillo e Marylou Simonsen
427.**Pigmaleão** – Bernard Shaw
428.**As fenícias** – Eurípides
429.**Everest** – Thomaz Brandolin
430.**A arte de furtar** – Anônimo do séc. XVI
431.**Billy Bud** – Herman Melville
432.**A rosa separada** – Pablo Neruda
433.**Elegia** – Pablo Neruda
434.**A garota de Cassidy** – David Goodis
435.**Como fazer a guerra: máximas de Napoleão** – Balzac
436.**Poemas escolhidos** – Emily Dickinson
437.**Gracias por el fuego** – Mario Benedetti
438.**O sofá** – Crébillon Fils
439.**O "Martín Fierro"** – Jorge Luis Borges
440.**Trabalhos de amor perdidos** – W. Shakespeare
441.**O melhor de Hagar 3** – Dik Browne
442.**Os Maias (volume1)** – Eça de Queiroz
443.**Os Maias (volume2)** – Eça de Queiroz
444.**Anti-Justine** – Restif de La Bretonne
445.**Juventude** – Joseph Conrad
446.**Contos** – Eça de Queiroz
447.**Janela para a morte** – Raymond Chandler
448.**Um amor de Swann** – Marcel Proust
449.**À paz perpétua** – Immanuel Kant
450.**A conquista do México** – Hernan Cortez
451.**Defeitos escolhidos e 2000** – Pablo Neruda
452.**O casamento do céu e do inferno** – William Blake
453.**A primeira viagem ao redor do mundo** – Antonio Pigafetta
454(14).**Uma sombra na janela** – Simenon
455(15).**A noite da encruzilhada** – Simenon
456(16).**A velha senhora** – Simenon
457.**Sartre** – Annie Cohen-Solal
458.**Discurso do método** – René Descartes
459.**Garfield em grande forma (1)** – Jim Davis
460.**Garfield está de dieta** (2) – Jim Davis
461.**O livro das feras** – Patricia Highsmith
462.**Viajante solitário** – Jack Kerouac
463.**Auto da barca do inferno** – Gil Vicente
464.**O livro vermelho dos pensamentos de Millôr** – Millôr Fernandes
465.**O livro dos abraços** – Eduardo Galeano
466.**Voltaremos!** – José Antonio Pinheiro Machado
467.**Rango** – Edgar Vasques
468(8).**Dieta mediterrânea** – Dr. Fernando Lucchese e José Antonio Pinheiro Machado
469.**Radicci 5** – Iotti
470.**Pequenos pássaros** – Anaïs Nin
471.**Guia prático do Português correto – vol.3** – Cláudio Moreno
472.**Atire no pianista** – David Goodis
473.**Antologia Poética** – García Lorca
474.**Alexandre e César** – Plutarco
475.**Uma espiã na casa do amor** – Anaïs Nin
476.**A gorda do Tiki Bar** – Dalton Trevisan
477.**Garfield um gato de peso (3)** – Jim Davis
478.**Canibais** – David Coimbra
479.**A arte de escrever** – Arthur Schopenhauer
480.**Pinóquio** – Carlo Collodi
481.**Misto-quente** – Charles Bukowski
482.**A lua na sarjeta** – David Goodis
483.**O melhor do Recruta Zero (1)** – Mort Walker

484.**Aline: TPM – tensão pré-monstrual (2)** – Adão Iturrusgarai
485.**Sermões do Padre Antonio Vieira**
486.**Garfield numa boa (4)** – Jim Davis
487.**Mensagem** – Fernando Pessoa
488.**Vendeta** *seguido de* **A paz conjugal** – Balzac
489.**Poemas de Alberto Caeiro** – Fernando Pessoa
490.**Ferragus** – Honoré de Balzac
491.**A duquesa de Langeais** – Honoré de Balzac
492.**A menina dos olhos de ouro** – Honoré de Balzac
493.**O lírio do vale** – Honoré de Balzac
494(17).**A barcaça da morte** – Simenon
495(18).**As testemunhas rebeldes** – Simenon
496(19).**Um engano de Maigret** – Simenon
497(1).**A noite das bruxas** – Agatha Christie
498(2).**Um passe de mágica** – Agatha Christie
499(3).**Nêmesis** – Agatha Christie
500.**Esboço para uma teoria das emoções** – Sartre
501.**Renda básica de cidadania** – Eduardo Suplicy
502(1).**Pílulas para viver melhor** – Dr. Lucchese
503(2).**Pílulas para prolongar a juventude** – Dr. Lucchese
504(3).**Desembarcando o diabetes** – Dr. Lucchese
505(4).**Desembarcando o sedentarismo** – Dr. Fernando Lucchese e Cláudio Castro
506(5).**Desembarcando a hipertensão** – Dr. Lucchese
507(6).**Desembarcando o colesterol** – Dr. Fernando Lucchese e Fernanda Lucchese
508.**Estudos de mulher** – Balzac
509.**O terceiro tira** – Flann O'Brien
510.**100 receitas de aves e ovos** – J. A. P. Machado
511.**Garfield em toneladas de diversão** (5) – Jim Davis
512.**Trem-bala** – Martha Medeiros
513.**Os cães ladram** – Truman Capote
514.**O Kama Sutra de Vatsyayana**
515.**O crime do Padre Amaro** – Eça de Queiroz
516.**Odes de Ricardo Reis** – Fernando Pessoa
517.**O inverno da nossa desesperança** – Steinbeck
518.**Piratas do Tietê (1)** – Laerte
519.**Rê Bordosa: do começo ao fim** – Angeli
520.**O Harlem é escuro** – Chester Himes
521.**Café-da-manhã dos campeões** – Kurt Vonnegut
522.**Eugénie Grandet** – Balzac
523.**O último magnata** – F. Scott Fitzgerald
524.**Carol** – Patricia Highsmith
525.**100 receitas de patisseria** – Sílvio Lancellotti
526.**O fator humano** – Graham Greene
527.**Tristessa** – Jack Kerouac
528.**O diamante do tamanho do Ritz** – S. Fitzgerald
529.**As melhores histórias de Sherlock Holmes** – Arthur Conan Doyle
530.**Cartas a um jovem poeta** – Rilke
531(20).**Memórias de Maigret** – Simenon
532(4).**O misterioso sr. Quin** – Agatha Christie
533.**Os analectos** – Confúcio
534(21).**Maigret e os homens de bem** – Simenon
535(22).**O medo de Maigret** – Simenon
536.**Ascensão e queda de César Birotteau** – Balzac
537.**Sexta-feira negra** – David Goodis
538.**Ora bolas – O humor de Mario Quintana** – Juarez Fonseca
539.**Longe daqui aqui mesmo** – Antonio Bivar
540(5).**É fácil matar** – Agatha Christie
541.**O pai Goriot** – Balzac
542.**Brasil, um país do futuro** – Stefan Zweig
543.**O processo** – Kafka
544.**O melhor de Hagar 4** – Dik Browne
545(6).**Por que não pediram a Evans?** – Agatha Christie
546.**Fanny Hill** – John Cleland
547.**O gato por dentro** – William S. Burroughs
548.**Sobre a brevidade da vida** – Sêneca
549.**Geraldão (1)** – Glauco
550.**Piratas do Tietê (2)** – Laerte
551.**Pagando o pato** – Ciça
552.**Garfield de bom humor (6)** – Jim Davis
553.**Conhece o Mário?** vol.1 – Santiago
554.**Radicci 6** – Iotti
555.**Os subterrâneos** – Jack Kerouac
556(1).**Balzac** – François Taillandier
557(2).**Modigliani** – Christian Parisot
558(3).**Kafka** – Gérard-Georges Lemaire
559(4).**Júlio César** – Joël Schmidt
560.**Receitas da família** – J. A. Pinheiro Machado
561.**Boas maneiras à mesa** – Celia Ribeiro
562(9).**Filhos sadios, pais felizes** – R. Pagnoncelli
563(10).**Fatos & mitos** – Dr. Fernando Lucchese
564.**Ménage à trois** – Paula Taitelbaum
565.**Mulheres!** – David Coimbra
566.**Poemas de Álvaro de Campos** – Fernando Pessoa
567.**Medo e outras histórias** – Stefan Zweig
568.**Snoopy e sua turma (1)** – Schulz
569.**Piadas para sempre (1)** – Visconde da Casa Verde
570.**O alvo móvel** – Ross Macdonald
571.**O melhor do Recruta Zero (2)** – Mort Walker
572.**Um sonho americano** – Norman Mailer
573.**Os broncos também amam** – Angeli
574.**Crônica de um amor louco** – Bukowski
575(5).**Freud** – René Major e Chantal Talagrand
576(6).**Picasso** – Gilles Plazy
577(7).**Gandhi** – Christine Jordis
578.**A tumba** – H. P. Lovecraft
579.**O príncipe e o mendigo** – Mark Twain
580.**Garfield, um charme de gato (7)** – Jim Davis
581.**Ilusões perdidas** – Balzac
582.**Esplendores e misérias das cortesãs** – Balzac
583.**Walter Ego** – Angeli
584.**Striptiras (1)** – Laerte
585.**Fagundes: um puxa-saco de mão cheia** – Laerte
586.**Depois do último trem** – Josué Guimarães
587.**Ricardo III** – Shakespeare
588.**Dona Anja** – Josué Guimarães
589.**24 horas na vida de uma mulher** – Stefan Zweig
590.**O terceiro homem** – Graham Greene
591.**Mulher no escuro** – Dashiell Hammett
592.**No que acredito** – Bertrand Russell
593.**Odisséia (1): Telemaquia** – Homero
594.**O cavalo cego** – Josué Guimarães
595.**Henrique V** – Shakespeare
596.**Fabulário geral do delírio cotidiano** – Bukowski
597.**Tiros na noite 1: A mulher do bandido** – Dashiell Hammett
598.**Snoopy em Feliz Dia dos Namorados! (2)** – Schulz
599.**Mas não se matam cavalos?** – Horace McCoy
600.**Crime e castigo** – Dostoiévski

601(7).**Mistério no Caribe** – Agatha Christie
602.**Odisséia (2): Regresso** – Homero
603.**Piadas para sempre (2)** – Visconde da Casa Verde
604.**À sombra do vulcão** – Malcolm Lowry
605(8).**Kerouac** – Yves Buin
606.**E agora são cinzas** – Angeli
607.**As mil e uma noites** – Paulo Caruso
608.**Um assassino entre nós** – Ruth Rendell
609.**Crack-up** – F. Scott Fitzgerald
610.**Do amor** – Stendhal
611.**Cartas do Yage** – William Burroughs e Allen Ginsberg
612.**Striptiras (2)** – Laerte
613.**Henry & June** – Anaïs Nin
614.**A piscina mortal** – Ross Macdonald
615.**Geraldão (2)** – Glauco
616.**Tempo de delicadeza** – A. R. de Sant'Anna
617.**Tiros na noite 2: Medo de tiro** – Dashiell Hammett
618.**Snoopy em Assim é a vida, Charlie Brown! (3)** – Schulz
619.**1954 – Um tiro no coração** – Hélio Silva
620.**Sobre a inspiração poética (Íon)** e ... – Platão
621.**Garfield e seus amigos (8)** – Jim Davis
622.**Odisséia (3): Ítaca** – Homero
623.**A louca matança** – Chester Himes
624.**Factótum** – Charles Bukowski
625.**Guerra e Paz: volume 1** – Tolstói
626.**Guerra e Paz: volume 2** – Tolstói
627.**Guerra e Paz: volume 3** – Tolstói
628.**Guerra e Paz: volume 4** – Tolstói
629(9).**Shakespeare** – Claude Mourthé
630.**Bem está o que bem acaba** – Shakespeare
631.**O contrato social** – Rousseau
632.**Geração Beat** – Jack Kerouac
633.**Snoopy: É Natal! (4)** – Charles Schulz
634(8).**Testemunha da acusação** – Agatha Christie
635.**Um elefante no caos** – Millôr Fernandes
636.**Guia de leitura (100 autores que você precisa ler)** – Organização de Léa Masina
637.**Pistoleiros também mandam flores** – David Coimbra
638.**O prazer das palavras** – vol. 1 – Cláudio Moreno
639.**O prazer das palavras** – vol. 2 – Cláudio Moreno
640.**Novíssimo testamento: com Deus e o diabo, a dupla da criação** – Iotti
641.**Literatura Brasileira: modos de usar** – Luís Augusto Fischer
642.**Dicionário de Porto-Alegrês** – Luís A. Fischer
643.**Clô Dias & Noites** – Sérgio Jockymann
644.**Memorial de Isla Negra** – Pablo Neruda
645.**Um homem extraordinário e outras histórias** – Tchékhov
646.**Ana sem terra** – Alcy Cheuiche
647.**Adultérios** – Woody Allen
648.**Para sempre ou nunca mais** – R. Chandler
649.**Nosso homem em Havana** – Graham Greene
650.**Dicionário Caldas Aulete de Bolso**
651.**Snoopy: Posso fazer uma pergunta, professora? (5)** – Charles Schulz
652(10).**Luís XVI** – Bernard Vincent
653.**O mercador de Veneza** – Shakespeare
654.**Cancioneiro** – Fernando Pessoa
655.**Non-Stop** – Martha Medeiros
656.**Carpinteiros, levantem bem alto a cumeeira & Seymour, uma apresentação** – J.D.Salinger
657.**Ensaios céticos** – Bertrand Russell
658.**O melhor de Hagar 5** – Dik e Chris Browne
659.**Primeiro amor** – Ivan Turguêniev
660.**A trégua** – Mario Benedetti
661.**Um parque de diversões da cabeça** – Lawrence Ferlinghetti
662.**Aprendendo a viver** – Sêneca
663.**Garfield, um gato em apuros (9)** – Jim Davis
664.**Dilbert 1** – Scott Adams
665.**Dicionário de dificuldades** – Domingos Paschoal Cegalla
666.**A imaginação** – Jean-Paul Sartre
667.**O ladrão e os cães** – Naguib Mahfuz
668.**Gramática do português contemporâneo** – Celso Cunha
669.**A volta do parafuso** *seguido de* **Daisy Miller** – Henry James
670.**Notas do subsolo** – Dostoiévski
671.**Abobrinhas da Brasilônia** – Glauco
672.**Geraldão (3)** – Glauco
673.**Piadas para sempre (3)** – Visconde da Casa Verde
674.**Duas viagens ao Brasil** – Hans Staden
675.**Bandeira de bolso** – Manuel Bandeira
676.**A arte da guerra** – Maquiavel
677.**Além do bem e do mal** – Nietzsche
678.**O coronel Chabert** *seguido de* **A mulher abandonada** – Balzac
679.**O sorriso de marfim** – Ross Macdonald
680.**100 receitas de pescados** – Sílvio Lancellotti
681.**O juiz e seu carrasco** – Friedrich Dürrenmatt
682.**Noites brancas** – Dostoiévski
683.**Quadras ao gosto popular** – Fernando Pessoa
684.**Romanceiro da Inconfidência** – Cecília Meireles
685.**Kaos** – Millôr Fernandes
686.**A pele de onagro** – Balzac
687.**As ligações perigosas** – Choderlos de Laclos
688.**Dicionário de matemática** – Luiz Fernandes Cardoso
689.**Os Lusíadas** – Luís Vaz de Camões
690(11).**Átila** – Éric Deschodt
691.**Um jeito tranqüilo de matar** – Chester Himes
692.**A felicidade conjugal** *seguido de* **O diabo** – Tolstói
693.**Viagem de um naturalista ao redor do mundo** – vol. 1 – Charles Darwin
694.**Viagem de um naturalista ao redor do mundo** – vol. 2 – Charles Darwin
695.**Memórias da casa dos mortos** – Dostoiévski
696.**A Celestina** – Fernando de Rojas
697.**Snoopy: Como você é azarado, Charlie Brown! (6)** – Charles Schulz
698.**Dez (quase) amores** – Claudia Tajes
699(9).**Poirot sempre espera** – Agatha Christie
700.**Cecília de bolso** – Cecília Meireles
701.**Apologia de Sócrates** *precedido de* **Êutifron** e *seguido de* **Críton** – Platão
702.**Wood & Stock** – Angeli
703.**Striptiras (3)** – Laerte

704.**Discurso sobre a origem e os fundamentos da desigualdade entre os homens** – Rousseau
705.**Os duelistas** – Joseph Conrad
706.**Dilbert (2)** – Scott Adams
707.**Viver e escrever** (vol. 1) – Edla van Steen
708.**Viver e escrever** (vol. 2) – Edla van Steen
709.**Viver e escrever** (vol. 3) – Edla van Steen
710(10).**A teia da aranha** – Agatha Christie
711.**O banquete** – Platão
712.**Os belos e malditos** – F. Scott Fitzgerald
713.**Libelo contra a arte moderna** – Salvador Dalí
714.**Akropolis** – Valerio Massimo Manfredi
715.**Devoradores de mortos** – Michael Crichton
716.**Sob o sol da Toscana** – Frances Mayes
717.**Batom na cueca** – Nani
718.**Vida dura** – Claudia Tajes
719.**Carne trêmula** – Ruth Rendell
720.**Cris, a fera** – David Coimbra
721.**O anticristo** – Nietzsche
722.**Como um romance** – Daniel Pennac
723.**Emboscada no Forte Bragg** – Tom Wolfe
724.**Assédio sexual** – Michael Crichton
725.**O espírito do Zen** – Alan W.Watts
726.**Um bonde chamado desejo** – Tennessee Williams
727.**Como gostais** *seguido de* **Conto de inverno** – Shakespeare
728.**Tratado sobre a tolerância** – Voltaire
729.**Snoopy: Doces ou travessuras? (7)** – Charles Schulz
730.**Cardápios do Anonymus Gourmet** – J.A. Pinheiro Machado
731.**100 receitas com lata** – J.A. Pinheiro Machado
732.**Conhece o Mário?** vol.2 – Santiago
733.**Dilbert (3)** – Scott Adams
734.**História de um louco amor** *seguido de* **Passado amor** – Horacio Quiroga
735(11).**Sexo: muito prazer** – Laura Meyer da Silva
736(12).**Para entender o adolescente** – Dr. Ronald Pagnoncelli
737(13).**Desembarcando a tristeza** – Dr. Fernando Lucchese
738.**Poirot e o mistério da arca espanhola & outras histórias** – Agatha Christie
739.**A última legião** – Valerio Massimo Manfredi
740.**As virgens suicidas** – Jeffrey Eugenides
741.**Sol nascente** – Michael Crichton
742.**Duzentos ladrões** – Dalton Trevisan
743.**Os devaneios do caminhante solitário** – Rousseau
744.**Garfield, o rei da preguiça (10)** – Jim Davis
745.**Os magnatas** – Charles R. Morris
746.**Pulp** – Charles Bukowski
747.**Enquanto agonizo** – William Faulkner
748.**Aline: viciada em sexo (3)** – Adão Iturrusgarai
749.**A dama do cachorrinho** – Anton Tchékhov
750.**Tito Andrônico** – Shakespeare
751.**Antologia poética** – Anna Akhmátova
752.**O melhor de Hagar 6** – Dik e Chris Browne
753(12).**Michelangelo** – Nadine Sautel
754.**Dilbert (4)** – Scott Adams
755.**O jardim das cerejeiras** *seguido de* **Tio Vânia** – Tchékhov
756.**Geração Beat** – Claudio Willer
757.**Santos Dumont** – Alcy Cheuiche
758.**Budismo** – Claude B. Levenson
759.**Cleópatra** – Christian-Georges Schwentzel
760. **Revolução Francesa** – Frédéric Bluche, Stéphane Rials e Jean Tulard
761.**A crise de 1929** – Bernard Gazier
762.**Sigmund Freud** – Edson Sousa e Paulo Endo
763.**Império Romano** – Patrick Le Roux
764.**Cruzadas** – Cécile Morrisson
765.**O mistério do Trem Azul** – Agatha Christie
766.**Os escrúpulos de Maigret** – Simenon
767.**Maigret se diverte** – Simenon
768.**Senso comum** – Thomas Paine
769.**O parque dos dinossauros** – Michael Crichton
770.**Trilogia da paixão** – Goethe
771.**A simples arte de matar** (vol.1) – R. Chandler
772.**A simples arte de matar** (vol.2) – R. Chandler
773.**Snoopy: No mundo da lua! (8)** – Charles Schulz
774.**Os Quatro Grandes** – Agatha Christie
775.**Um brinde de cianureto** – Agatha Christie
776.**Súplicas atendidas** – Truman Capote
777.**Ainda restam aveleiras** – Simenon
778.**Maigret e o ladrão preguiçoso** – Simenon
779.**A viúva imortal** – Millôr Fernandes
780.**Cabala** – Roland Goetschel
781.**Capitalismo** – Claude Jessua
782.**Mitologia grega** – Pierre Grimal
783.**Economia: 100 palavras-chave** – Jean-Paul Betbèze
784.**Marxismo** – Henri Lefebvre
785.**Punição para a inocência** – Agatha Christie
786.**A extravagância do morto** – Agatha Christie
787(13).**Cézanne** – Bernard Fauconnier
788.**A identidade Bourne** – Robert Ludlum
789.**Da tranquilidade da alma** – Sêneca
790.**Um artista da fome** *seguido de* **Na colônia penal e outras histórias** – Kafka
791.**Histórias de fantasmas** – Charles Dickens
792.**A louca de Maigret** – Simenon
793.**O amigo de infância de Maigret** – Simenon
794.**O revólver de Maigret** – Simenon
795.**A fuga do sr. Monde** – Simenon
796.**O Uraguai** – Basílio da Gama
797.**A mão misteriosa** – Agatha Christie
798.**Testemunha ocular do crime** – Agatha Christie
799.**Crepúsculo dos ídolos** – Friedrich Nietzsche
800.**Maigret e o negociante de vinhos** – Simemon
801.**Maigret e o mendigo** – Simenon
802.**O grande golpe** – Dashiell Hammett
803.**Humor barra pesada** – Nani
804.**Vinho** – Jean-François Gautier
805.**Egito Antigo** – Sophie Desplancques
806(14).**Baudelaire** – Jean-Baptiste Baronian
807.**Caminho da sabedoria, caminho da paz** – Dalai Lama e Felizitas von Schönborn
808.**Senhor e servo e outras histórias** – Tolstói
809.**Os cadernos de Malte Laurids Brigge** – Rilke
810.**Dilbert (5)** – Scott Adams
811.**Big Sur** – Jack Kerouac
812.**Seguindo a correnteza** – Agatha Christie
813.**O álibi** – Sandra Brown
814.**Montanha-russa** – Martha Medeiros
815.**Coisas da vida** – Martha Medeiros

816.**A cantada infalível** *seguido de* **A mulher do centroavante** – David Coimbra
817.**Maigret e os crimes do cais** – Simenon
818.**Sinal vermelho** – Simenon
819.**Snoopy: Pausa para a soneca (9)** – Charles Schulz
820.**De pernas pro ar** – Eduardo Galeano
821.**Tragédias gregas** – Pascal Thiercy
822.**Existencialismo** – Jacques Colette
823.**Nietzsche** – Jean Granier
824.**Amar ou depender?** – Walter Riso
825.**Darmapada: A doutrina budista em versos**
826.**J'Accuse...! – a verdade em marcha** – Zola
827.**Os crimes ABC** – Agatha Christie
828.**Um gato entre os pombos** – Agatha Christie
829.**Maigret e o sumiço do sr. Charles** – Simenon
830.**Maigret e a morte do jogador** – Simenon
831.**Dicionário de teatro** – Luiz Paulo Vasconcellos
832.**Cartas extraviadas** – Martha Medeiros
833.**A longa viagem de prazer** – J. J. Morosoli
834.**Receitas fáceis** – J. A. Pinheiro Machado
835.(14).**Mais fatos & mitos** – Dr. Fernando Lucchese
836.(15).**Boa viagem!** – Dr. Fernando Lucchese
837.**Aline: Finalmente nua!!!** (4) – Adão Iturrusgarai
838.**Mônica tem uma novidade!** – Mauricio de Sousa
839.**Cebolinha em apuros!** – Mauricio de Sousa
840.**Sócios no crime** – Agatha Christie
841.**Bocas do tempo** – Eduardo Galeano
842.**Orgulho e preconceito** – Jane Austen
843.**Impressionismo** – Dominique Lobstein
844.**Escrita chinesa** – Viviane Alleton
845.**Paris: uma história** – Yvan Combeau
846(15).**Van Gogh** – David Haziot
847.**Maigret e o corpo sem cabeça** – Simenon
848.**Portal do destino** – Agatha Christie
849.**O futuro de uma ilusão** – Freud
850.**O mal-estar na cultura** – Freud
851.**Maigret e o matador** – Simenon
852.**Maigret e o fantasma** – Simenon
853.**Um crime adormecido** – Agatha Christie
854.**Satori em Paris** – Jack Kerouac
855.**Medo e delírio em Las Vegas** – Hunter Thompson
856.**Um negócio fracassado e outros contos de humor** – Tchékhov
857.**Mônica está de férias!** – Mauricio de Sousa
858.**De quem é esse coelho?** – Mauricio de Sousa
859.**O burgomestre de Furnes** – Simenon
860.**O mistério Sittaford** – Agatha Christie
861.**Manhã transfigurada** – Luiz Antonio de Assis Brasil
862.**Alexandre, o Grande** – Pierre Briant
863.**Jesus** – Charles Perrot
864.**Islã** – Paul Balta
865.**Guerra da Secessão** – Farid Ameur

1066.**Diários de Jack Kerouac – 1947-1954**
1067.**Revolução Francesa – vol. 1** – Max Gallo
1068.**Revolução Francesa – vol. 2** – Max Gallo
1069.**O detetive Parker Pyne** – Agatha Christie
1070.**Memórias do esquecimento** – Flávio Tavares
1071.**Drogas** – Leslie Iversen
1072.**Manual de ecologia (vol.2)** – J. Lutzenberger
1073.**Como andar no labirinto** – Affonso Romano de Sant'Anna
1074.**A orquídea e o serial killer** – Juremir Machado da Silva
1075.**Amor nos tempos de fúria** – Lawrence Ferlinghetti
1076.**A aventura do pudim de Natal** – Agatha Christie
1077.**Maigret no Picratt's** – Simenon
1078.**Amores que matam** – Patricia Faur
1079.**Histórias de pescador** – Mauricio de Sousa
1080.**Pedaços de um caderno manchado de vinho** – Bukowski
1081.**A ferro e fogo: tempo de solidão (vol.1)** – Josué Guimarães
1082.**A ferro e fogo: tempo de guerra (vol.2)** – Josué Guimarães
1083.**Carta a meu juiz** – Simenon
1084(17).**Desembarcando o Alzheimer** – Dr. Fernando Lucchese e Dra. Ana Hartmann
1085.**A maldição do espelho** – Agatha Christie
1086.**Uma breve história da filosofia** – Nigel Warburton
1087.**Uma confidência de Maigret** – Simenon
1088.**Heróis da História** – Will Durant
1089.**Concerto campestre** – L. A. de Assis Brasil
1090.**Morte nas nuvens** – Agatha Christie
1091.**Maigret no tribunal** – Simenon
1092.**Aventura em Bagdá** – Agatha Christie
1093.**O cavalo amarelo** – Agatha Christie
1094.**O método de interpretação dos sonhos** – Freud
1095.**Sonetos de amor e desamor** – Vários
1096.**120 tirinhas do Dilbert** – Scott Adams
1097.**124 fábulas de Esopo**
1098.**O curioso caso de Benjamin Button** – F. Scott Fitzgerald
1099.**Piadas para sempre: uma antologia para morrer de rir** – Visconde da Casa Verde
1100.**Hamlet (Mangá)** – Shakespeare
1101.**A arte da guerra (Mangá)** – Sun Tzu
1102.**Maigret na pensão** – Simenon
1103.**Meu amigo Maigret** – Simenon
1104.**As melhores histórias da Bíblia (vol.1)** – A. S. Franchini e Carmen Seganfredo
1105.**As melhores histórias da Bíblia (vol.2)** – A. S. Franchini e Carmen Seganfredo
1106.**Psicologia das massas e análise do eu** – Freud
1107.**Guerra Civil Espanhola** – Helen Graham
1108.**A autoestrada do sul e outras histórias** – Julio Cortázar
1109.**O mistério dos sete relógios** – Agatha Christie
1110.**Peanuts: Ninguém gosta de mim... (amor)** – Charles Schulz
1111.**Cadê o bolo?** – Mauricio de Sousa
1112.**O filósofo ignorante** – Voltaire
1113.**Totem e tabu** – Freud
1114.**Filosofia pré-socrática** – Catherine Osborne
1115.**Desejo de status** – Alain de Botton
1116.**Maigret e o informante** – Simenon
1117.**Peanuts: 120 tirinhas** – Charles Schulz
1118.**Passageiro para Frankfurt** – Agatha Christie
1119.**Maigret se irrita** – Simenon
1120.**Kill All Enemies** – Melvin Burgess
1121.**A morte da sra. McGinty** – Agatha Christie
1122.**Revolução Russa** – S. A. Smith
1123.**Até você, Capitu?** – Dalton Trevisan
1124.**O grande Gatsby (Mangá)** – F. S. Fitzgerald
1125.**Assim falou Zaratustra (Mangá)** – Nietzsche
1126. **Peanuts: É para isso que servem os amigos (amizade)** – Charles Schulz
1127(27).**Nietzsche** – Dorian Astor
1128.**Bidu: Hora do banho** – Mauricio de Sousa
1129.**O melhor do Macanudo Taurino** – Santiago
1130.**Radicci 30 anos** – Iotti
1131.**Show de sabores** – J.A. Pinheiro Machado
1132.**O prazer das palavras** – vol. 3 – Cláudio Moreno
1133.**Morte na praia** – Agatha Christie
1134.**O fardo** – Agatha Christie
1135.**Manifesto do Partido Comunista (Mangá)** – Marx & Engels
1136.**A metamorfose (Mangá)** – Franz Kafka
1137.**Por que você não se casou... ainda** – Tracy McMillan
1138.**Textos autobiográficos** – Bukowski
1139.**A importância de ser prudente** – Oscar Wilde
1140.**Sobre a vontade na natureza** – Arthur Schopenhauer
1141.**Dilbert (8)** – Scott Adams
1142.**Entre dois amores** – Agatha Christie
1143.**Cipreste triste** – Agatha Christie
1144.**Alguém viu uma assombração?** – Mauricio de Sousa
1145.**Mandela** – Elleke Boehmer
1146.**Retrato do artista quando jovem** – James Joyce
1147.**Zadig ou o destino** – Voltaire
1148.**O contrato social (Mangá)** – J.-J. Rousseau
1149.**Garfield fenomenal** – Jim Davis
1150.**A queda da América** – Allen Ginsberg
1151.**Música na noite & outros ensaios** – Aldous Huxley
1152.**Poesias inéditas & Poemas dramáticos** – Fernando Pessoa
1153.**Peanuts: Felicidade é...** – Charles M. Schulz
1154.**Mate-me por favor** – Legs McNeil e Gillian McCain
1155.**Assassinato no Expresso Oriente** – Agatha Christie
1156.**Um punhado de centeio** – Agatha Christie
1157.**A interpretação dos sonhos (Mangá)** – Freud
1158..**Peanuts: Você não entende o sentido da vida** – Charles M. Schulz
1159.**A dinastia Rothschild** – Herbert R. Lottman
1160.**A Mansão Hollow** – Agatha Christie
1161.**Nas montanhas da loucura** – H.P. Lovecraft
1162(28).**Napoleão Bonaparte** – Pascale Fautrier
1163.**Um corpo na biblioteca** – Agatha Christie
1164.**Inovação** – Mark Dodgson e David Gann
1165.**O que toda mulher deve saber sobre os homens: a afetividade masculina** – Walter Riso
1166.**O amor está no ar** – Mauricio de Sousa
1167.**Testemunha de acusação & outras histórias** – Agatha Christie
1168.**Etiqueta de bolso** – Celia Ribeiro

IMPRESSÃO:

GRÁFICA EDITORA Pallotti IMAGEM DE QUALIDADE

Santa Maria - RS - Fone/Fax: (55) 3220.4500

www.pallotti.com.br